奥运金牌传奇人物埃里克·利迪尔

因爱着中国

从『苏格兰飞人』到『潍县集中营囚犯』

［美］Ellen Caughey 著

华琳 译

图字:01-2008-0883

图书在版编目(CIP)数据

因爱着中国 奥运金牌传奇人物:埃里克·利迪尔:
1902~1945/(美)考伊(Caughey,E.)著;华琳译.
北京:知识出版社,2008.3

ISBN 978-7-5015-5457-7

Ⅰ.因… Ⅱ.①考…②华… Ⅲ.利迪尔,D.(1902~
1945)-传记 Ⅳ.K835.615.47

中国版本图书馆 CIP 数据核字(2008)第 019075 号

策 划 人 郭银星
责任编辑 郭银星
责任印制 连 毅
装帧设计 欧阳文明
出版发行 知识出版社
地 址 北京阜成门北大街 17 号 邮政编码:100037
电 话 010-88390093
网 址 http://www.ecph.com.cn
印 刷 北京市彩虹印刷有限责任公司
开 本 787×1092 毫米 1/32
印 张 6.5
字 数 125 千字
印 次 2008 年 3 月第 1 版 2008 年 3 月第 1 次印刷
书 号 ISBN 978-7-5015-5457-7
印 数 1~10 000 册
定 价 19.80 元

出版说明

《因爱着中国》是"苏格兰飞人"埃里克·利迪尔的传记。他曾经在1924年巴黎奥运会上夺得400米跑金牌，创下了当时的世界记录。描写他传奇一生的电影《烈火战车》，获得过第54届奥斯卡的四大奖项。但是，今天大多数中国人并不知道，他生于中国，也死在中国。

我们出版的这个中文译本，是埃里克多种传记中最简明的一种，可以使广大读者重新了解这位"爱的使者"。从1925年到1945年这二十年间，是中国社会最艰难最痛苦的时期，正是在这个时期，埃里克放弃了他在英国的优越生活，来中国接续他父母的传教工作。他最早在天津新学书院开设自然科学课和体育课，把奥运精神传授给中国学生。抗日战争爆发后，埃里克不但没有离开中国，反而回到他的出生地河北肖张，在最艰苦的条件下帮助当地人、疗治伤员、救济妇女儿童，还冒着生命危险救出过一位险些被日寇杀害的农民画家。

由于传主的神学身份，本书的文字带有一定的宗教色彩，需要读者加以识别和正确对待。但是我们相信，在2008年北京奥运会举办之际，这位一生都在"为爱奔跑"的人，他在中国的故事将会再一次感动读者——无论他们是不是体育爱好者，也无论他们是不是有着和他一样的宗教背景。

目　录

第一章　1923 年 7 月·英格兰·斯多克-昂-特伦特 ………… 1

第二章　1906 年·中国·肖张 ……………………… 6

第三章　1909 年·9 月·英国·伦敦 ……………… 20

第四章　1921 年～1923 年·苏格兰·爱丁堡 ………… 38

第五章　1923 年～1924 年·英国 ………………… 53

第六章　1924 年·法国·巴黎 …………………… 65

第七章　1924 年·法国·巴黎 …………………… 76

第八章　1924 年～1925 年·苏格兰·爱丁堡 ……… 84

第九章　1925 年～1928 年·中国·天津 ………… 98

第十章　1929 年～1935 年·中国·天津 ………… 113

第十一章　1935 年～1939 年·中国·天津—肖张 ……… 130

第十二章　1939 年～1941 年·中国·肖张—天津 ……… 145

第十三章　1941～1943 年·中国·天津—潍县 ……… 153

第十四章　1943 年～1944 年·中国·潍县 ………… 158

第十五章　1945 年·中国·潍县 ………………… 173

附录一　英国简况 ………………………… 183

附录二　天津市和平区教育史 …………………… 186

附录三　山东潍县乐道院 …………………… 189

埃里克肖像

* *

在中国的工作照

运动场上的埃里克

英格兰摩宁思路
"埃里克·利迪
尔纪念馆"外景

＊＊＊＊＊＊＊＊＊＊＊＊＊＊＊＊＊＊＊＊＊＊＊＊＊＊＊＊＊＊

英格兰摩宁思路"埃里克·利迪尔纪念馆"

青铜塑像——奔跑着的埃里克

（藏于英格兰摩宁思路"埃里克·利迪尔纪念馆"）

中国娃娃——『埃里克·利迪尔纪念馆』藏品

洁妮的钱包和饰物（藏于"埃里克·利迪尔纪念馆"）

LONDON MISSIONARY SOCIETY.

REV. J. D. LIDDELL.

FROM THE
LOCAL TREASURER
AND FINANCE CONVENER

15, Rue Pasteur,
4, LONDON MISSION,
TIENTSIN,
NORTH CHINA.

Jan 31st 1930.

Dear Miss Reide,

We have just had our half-yearly exams and broken up for the Chinese New Year holidays. We are not meant to have a holiday this year as it is against the Government regulations. Still they cannot stop an old custom like that so easily. An order went out saying that all the little shops were to stop selling the usual little new year gifts & of course that meant absolute ruin to them.

Some of the little shop owners committed suicide so that a petition went from Tientsin asking the government to withdraw the regulation. Fortunately they did. I have taken this opportunity of getting into a country station, Siao Chang, where my brother is. It is 200 miles from Tientsin. The first part of the journey is done by rail but the last forty you do in a Chinese cart. The 40 miles take a whole day; we started at 6 a.m. and arrived at 7.15 p.m. I walked half of the way & then went into the cart & slept. You can imagine that it isn't easy to sleep in a cart which is bumping along over ruts & has no springs it stands on. However even the bumping had no effect on me for I slept soundly.

You will have received a cyclostyled sheet saying something of my work here. Since then it has been increasingly hard not because the students are definitely making trouble, but just because of the absolute slackness & indifference. I see that a college at Chinan has had to close altogether because the Provincial leader is against Christianity. I suppose it may get to some of the fields from there. This year I return home, so will not then be in England by August. It is good to look forward to it.

With all good wishes Yours sincerely

Eric H. Liddell

埃里克 1930 年给英国伦敦差会一封信的原件

埃里克纪念碑——1988 年由苏格兰爱丁堡大学捐赠

第 一 章

1923 年 7 月·英格兰·斯多克-昂-特伦特①

细煤渣铺设的跑道上，运动员们各就各位。虽然跑道上没有划线，但是久经沙场的"跑将"们都自觉地在彼此之间拉开适当的距离。

这个距离至少现在还保持着。

21 岁的埃里克·利迪尔②，人称"苏格兰飞人"，被排在最里面第二条跑道，这个位置很不错。特别是比赛的时候，大多数运动员都渴望得到那些靠里面的跑道。至少在这些位置上的人不用跑那么远，而且如果没人超过你，你一准能赢得比赛。

这场比赛非同小可，赢得冠军就可入选国家队，代表英国③参加明年夏季的巴黎奥运会。

埃里克用手轻轻往后捋着稀疏的金黄色头发，微笑着向右边望着，他知道这里所有来自英格兰、苏格兰和爱尔兰参赛者的名字，包括右面紧靠他的那个正在系鞋

---

① 斯多克-昂-特伦特：Stoke－on－Trent 镇，位于英国英格兰的中部。
② 埃里克·利迪尔：英文名字 Eric Liddell，又译爱里克·利迪尔；另有中文译名"李爱锐"、"李岱尔"等。
③ 英国：请参阅附录一。

埃里克·利迪尔——Eric Liddell

1

带的人：J. J. 基列斯，是英格兰最棒的 440 码①比赛冠军的候选人。今天早些时候，埃里克已经夺得 100 码和 220 码的第一名，大概没有人期待着他在一天当中能赢三场比赛。

像每一次赛前一样，埃里克主动地和其他参赛者一一握手，随后把手伸向基列斯，一边握手一边说："愿你成功。"他从不向人说"祝你好运气"这类的话。

埃里克并不相信运气。对他来说，所有发生的事情皆"事出有因"。

他伸手从上衣外套的口袋里掏出一把小铲儿，回到自己的位置上。然后小心翼翼地在跑道上挖出两个小洞，大小正好能放入跑鞋的鞋尖儿：比赛开始的时候，他需要借这样的洞将自己"发射"出去。大多数参赛者都自己携带小铲儿，并且练习挖出不大不小正好的洞，帮助达到最佳的起跑速度。

当运动员们开始脱掉外套和长裤，将它们扔在草地上的时候，大家盼望已久的裁判出现在跑道上，他的白色外套在风中抖动着。他清了清嗓子，大声宣布："各就各位…… 预备！"

埃里克屈身蹲下将脚尖儿放入小洞里，心跳不禁加快。他知道他起跑的动作很差，所以就要在奔跑的时候加快速度，才有可能拿到前三名。但是他一点儿也没料到，这一次起跑却完全不同。

埃里克从眼角瞄了一眼 J. J. 基列斯，他正在盯着那

① 码：yard，一码等于91.4公分。

用木栏杆隔开的内跑道。随着时间一秒一秒地过去，他的眼睛眯成一条缝。埃里克想："他是下了决心要赢的，而我的腿有这么强壮和他拼赛吗？"

裁判将手里小小的信号枪举到空中，"先生们，我数完三的时候，起跑信号就响了。"接踵而来的几秒钟对参赛者来说犹如几分钟。"一！二！三！""砰"——枪声划破了让人难以忍受的寂静。

运动员们躬着的身子弹跳起来、直飞向前，他们移动着双腿，挥动着双臂，越跑越快。

跑出 15 码之后，J. J. 基列斯采取行动了，那是几分钟之前就算计好的。他不等到前面出现空档，就一下子切入到埃里克的跑道上！一瞬间，埃里克失去平衡，直直撞向木栏杆，然后又翻了两个跟头摔到草地上。埃里克立刻坐起来，晃晃身子，眨眨眼睛。跑道那边，有人在喊他的名字，并用手指向跑道。又有一个声音唤起他的注意：

"起来！起来！"两个裁判呼叫着，向他使劲儿挥舞着双臂，"你还在比赛当中！"

埃里克简直不敢相信发生的事情。但是他没时间去问为什么。他赶快爬了起来，快步越过栏杆回到跑道上。这时候，连跑得最慢的运动员都领先他 20 码以外。埃里克想："除非是神让我赢，否则输定了。"

埃里克跑了起来。他先开始挥动双臂，看上去像两个活动的"风车"，然后又将拳头打向空中，好像是空气挡阻了他的速度。当他的腿开始奔跑的时候，双膝向上高高抬起，好像在带领一支奏着进行曲的乐队。最

埃里克·利迪尔 Eric Liddell

后，为了让自己跑得更快，他向后仰起头，抬起下巴，眼睛看向空中。

一码又一码，埃里克开始追上那群运动员。他更快地挥动双臂，惊讶的观众发现他已经跑在第四名的位置。但是距离最前面的 J. J. 基列斯，还有十码之遥。

虽然埃里克是来自苏格兰的选手，通常只是苏格兰的观众才会大声欢呼和加油。但现在，所有的观众都开始大声欢呼着他的名字。谁也不相信眼前发生的事情。

"还有 40 码，利迪尔！"当埃里克超过第三个人的时候，有人冲他喊着。40 码，前面还有两个人！手臂和双腿已经没有了感觉，呼吸也很困难，40 码像是 40 公里那么遥远。但是他不能停止。

他再次猛力挥动双臂，向上高抬双膝，双臂再抡快些。接近终点线的时候，埃里克最后一次仰起头向前猛然挺胸 —— 超过了 J. J. 基列斯。以足足领先两码之遥，赢得这场 440 码的比赛。

埃里克用完了所有的力气，精疲力竭地倒在地上喘息着。有人递给他一小杯白兰地，他用力地摇了摇头。然后向那人打着手势悄悄说："一杯茶行吗？"

忽然间，这位还在大口喘气的苏格兰运动员，发现自己被人群包围了。他们当中有裁判，有他大学的同学，有当地的记者和摄影师，甚至还有孩子们。对他们提出的问题，他只能点点头，或报以微笑。他们问他关于奥林匹克运动会，下一步的训练计划，下一场比赛，以前认识不认识 J. J. 基列斯，见了他会说些什么——每个在场的人都看到，是 J. J. 基列斯把他推出跑道。

埃里克·利迪尔 | Eric Liddell

那些记者们的问题听上去很刺耳，也很无聊。他从未接受过正式的采访，也不介意公众的评价。忽然，一个年轻人的声音打断了他的沉思。"你已经实现了你最大的愿望。你觉得在巴黎运动会上，你的胜负将会如何呢？"

埃里克闭上眼睛，脸上出现了一种奇怪的表情：我最大的愿望？打小时候开始，我就只有一个梦想。可眼前晃动着的是一块即将到手的金牌，在这个时候，我怎能解释心里的"中国情结"呢？我怎么向他们解释，每当想起亲爱的父母，每当祈祷着将来担当起他们传福音的重任的愿望时，那种平安的心情呢？

埃里克·利迪尔｜Eric Liddell

第 二 章

1906 年·中国·肖张①

"耶里！耶里！"

听见厚底鞋急促的声音越来越近，埃里克将缩起的身子藏得更低了。他和哥哥罗比②很喜欢和他们的阿妈③纪奶奶玩捉迷藏的游戏。听到中国奶奶叫着他的名字，她讲不出"埃里克"的发音，只好叫他"耶里"，他总是忍不住地开心大笑。

肖张镇位置图

纪奶奶慢悠悠地故意走近埃里克藏身的地方。埃里

---

① 肖张：在原著里写为 Siaochang。位于华北平原南部，行政隶属河北省枣强县，是镇政府所在地。这里气候干燥，全年温差较小。全镇总面积 34 平方公里，有 14 个行政村，3700 多户，13600 余人。肖张镇交通便利，衡水、大营公路经过全镇，京九铁路也从部分村庄穿过。著名长篇小说《平原枪声》和同名电影取材于此。（摘自：肖张镇政府网站）

② 罗比：Robert 的昵称。

③ 阿妈：印度等一些东方国家的奶妈、女佣。

克总是搞不明白，为什么纪奶奶走路那么慢，可又迈不开步子。小小的他怎会明白纪奶奶被虐待式缠过的小脚，给她每天生活所带来的疼痛。当时在中国的很多家庭中保留这样的传统，就是用布条把那些未成年女孩子们的脚紧紧缠上，好让她们长大以后有一双"三寸金莲"。几年以后，脚的筋骨变成畸形，使她们每走一步都要忍受着巨大的疼痛。虽然纪奶奶已经上了年纪，但从没人听她抱怨过。她乐观的处世态度让利迪尔的家人十分钦佩。

阿妈时代的小脚鞋

阿妈的脸和埃里克的脸在桌底下打个照面。"找到你啦，耶里。"她操着当地的口音说，然后一把抓住埃里克的中式棉袍，笑嘻嘻地将他从桌底下揪了出来，"玩够了，你该和罗迪、洁儿妮一起上学了。"

埃里克忍着不让自己笑出声儿，他猜"罗迪，洁儿妮"（就是哥哥罗比和妹妹洁妮）现在一定也是藏在什么地方。他们谁都不急着去上学。但现在，没办法啦，埃里克像跟屁虫似的，乖乖地跟在阿妈的后面来到学校。传教士基地内一共有两所学校，其中一所男校，另外一所是女校。在那时候的中国，只有男孩子才可以受教育。基督教传教士来了以后，他们呼吁家长们把女孩

埃里克·利迪尔 Eric Liddell

7

子也送来上学。不幸的是，很多中国的女孩子被迫来到传教士的家寻求庇护。因为男孩子长大以后，可以帮助家里的生计，但是女孩子却不行。所以很多女孩子生下来以后或被杀掉，或被抛弃，让她们自生自灭。就算侥幸生存下来的，也受到百般虐待。

埃里克一家所在的肖张传教士基地，周围是硬土坯砌成的院墙，院子里有四座砖砌的大房子：其中两座是学校，一座是医院，还有一座是个小礼拜堂，用来星期天做礼拜。基地所在的肖张村由一些零散的小土坯房子组成，四周围着一堵高高的泥巴墙，墙上开了一个大门。

村里的大门白天打开，让人自由出入，到了晚上就关门上锁。尽管当时的中国还算平静，但是肖张的村民，像大多数中国人一样，早就开始为他们的性命担忧。他们对社会的不满起源于 18 世纪的鸦片战争，也来自耶西别①式的寡妇女皇：慈禧。

鸦片战争两度爆发（1840～1842；1856～1860）的原因，是因为中国为了禁止鸦片泛滥，向那些英国商人宣布进口鸦片属非法走私。几个世纪以来，英国人一直用鸦片来自由交换中国的货物。但是，鸦片让人上瘾，给中国带来了极大的社会和经济问题。如果鸦片贸易成为非法，那些以此为主要贸易来源的英国商人当然不高兴。于是爆发了战争，结果以中国向西方国家妥协让步而结束。

1842 年 8 月 29 日签署的"南京条约"，中国被迫赔

① 耶西别：Jezebel。是《圣经·旧约》里一个有权而凶恶的妇人。她是一个铁石心肠刚愎冷酷的女人。当她做了以色列王亚哈的妻子以后继续信奉她先祖的宗教，并且藉着软弱的丈夫强迫以色列人随从她的宗教。亚哈为了讨好她，开始迫害耶和华的信徒。

偿大笔罚银，并且向英国开放五个港口，让其自由居住和贸易，又把香港割让给了英国。签于 1858 年，修改于 1860 年的"天津条约"对埃里克父母的到来具有很大的意义。中国被迫通关，包括向外国人开放内陆。极具讽刺意义的是，在稍后的一个条约中，鸦片贸易再度成为合法。

鸦片战争给很多中国人留下痛苦的回忆和仇恨，所以很多人也像慈禧太后那样恨外国人。自从成为皇后，特别是咸丰皇帝 1861 病逝以后，同治皇帝即位时年仅 5 岁，慈禧就逐渐成为中国掌实权的人。虽然同治皇帝到了能够治理国家的年龄，但是他的一些做法，如鼓励年轻人留洋，在北京成立大学教授西方文化，惹起慈禧极大的不满和不快。同治皇帝 1875 年 19 岁病死。但是慈禧太后顾不得服丧，也顾不得皇后已经怀孕，就急忙选立妹妹的儿子，小小年龄的光绪继位。这样一来她就可以继续垂帘听政。

中国长久以来就有各种各样的秘密帮派。以前朝廷并不善待他们。到了 1897 年以后，很多皇族开始公开与他们来往，对此慈禧太后大为赞同。尽管她的侄儿执掌内务府，她却想利用义和拳①这股现成的势力来借刀杀人。义和拳的宗旨是将"洋鬼子"逐出中国。他们相信他们的身体刀枪不侵，大炮不入，定能百战百胜。他

埃里克·利迪尔
Eric Liddell

---

① 义和拳：亦称义和团，前身是义和拳等民间反清秘密组织，最初流行于山东、直隶（河北）等地。以设厂练拳等方式组织民众，参加者主要是农民、手工业者和平民。1898 年改称义和团，戊戌变法失败后，清廷改变对义和拳的策略，调义和拳进京。1900 年 6 月在"扶清灭洋"的口号下，义和拳陆续进京，在城内设坛 800 余所，围困攻打东交民巷使馆区，并在天津、廊坊和北京抵抗入侵的八国联军。最后由于清政府和八国联军的镇压而失败。

们对洋人恨之入骨，认为西方的工业革命让成千上万的中国人失去工作，从而引起社会的动荡不安。他们公开宣布的"义和团揭帖"①恰如其分地表达出他们的观点：

> 神助拳，义和团，只因鬼子闹中原。劝奉教，自信天，不信神，忘祖先。男无伦，女行奸，鬼孩俱是子母产。如不信，仔细观，鬼子眼球俱发蓝……兵法艺，都学会，要平鬼子不费难。拆铁路，拔线杆，紧急毁坏火轮船。大法国，心胆寒，英美德俄尽萧然。洋鬼子，尽除完，大清一统靖江山。

到了1898年，慈禧又一次统治中国。她的外甥光绪皇帝像他过世的表兄同治一样想与西方改善关系。他曾经一度想囚禁慈禧，但是不仅没有成功，反被慈禧软禁在紫禁城南海的瀛台内。同时他的爱妃也被慈禧下令抛入故宫后宫的井中处死。

此时慈禧太后已经63岁，她比以往任何时候都坚定地要把所有外国人赶出中国。这样的契机促使义和拳暴动一触即发。正是在这当口，詹姆斯·利迪尔牧师和妻子玛丽②来到了中国，开始了他们的传教工作。

刚来肖张的时候，埃里克、罗比和洁妮很喜欢听父母亲讲关于中国的故事。在冰天雪地的冬天，他们大多数时间只能呆在家里。通常，父母会先给他们读段《圣经》，然后再继续给他们讲头天晚上没讲完的精彩故事。就在慈禧太后第三度重掌朝政的时候，詹姆斯·利迪尔牧师从英国抵达上海。到1899年，玛丽也从英国来到

---

① 义和团揭帖：引自《中国近代史参考资料》。
② 詹姆斯·利迪尔和玛丽：James Liddell，Mary 是埃里克的父母。

这里。他们会齐之后不久，就一起旅行到中国西部的蒙古①，在那里成立了一个传教的基地。蒙古！这名字听上去就使人向往：连绵起伏的山岭，一望无际的大沙漠，奔驰豪放的游牧民族。

三个孩子经常好奇，是什么东西将他们腼腆而谦虚的父母带到那荒凉又危险的边境呢？多年之后，当他们开始了自己的信心之旅以后，当他们懂得了圣灵的能力之后，他们才明白，正是这种能力不仅能让父母走在一起，而且带领他们走过那从未想像过的风险之地。

詹姆斯·敦路浦·利迪尔是个杂货商的儿子，出生在苏格兰中部，美丽的罗梦湖②东南角的竹门镇③。像其他当地人一样，他们一家都是寡言而勤奋的乡下人。不仅如此，他们更是出了名的爱神的人。在教堂里做礼拜的时候，特别是唱诗歌的时候，利迪尔一家大声又豪放的声音，常常让人们觉得他们的举止很特别。

虽然詹姆斯对神极为虔诚，但他从未考虑从事传教的工作。那时，他在苏格兰斯特灵市④的一家布店做学徒，从没有感到神对他的呼唤，直到那年暑假中的一次偶然机会，改变了他生命的方向。在那个假期当中，公理会⑤的威廉·布莱尔牧师与詹姆斯推心置腹地讨论了教会海外传教的工作。

从那时开始，詹姆斯为此事烦恼了好几个月。他已

---

① 蒙古：当时只有一个蒙古。
② 罗梦湖：Loch Lomond
③ 竹门镇：Drymen
④ 斯特灵市：Sterling
⑤ 公理会：Congregation

经确定神要他从事传教的工作，但是，去哪儿？怎么去？好像这个拼图中还少了很重要的一块——她的名字是玛丽·瑞登①。

在斯特灵举办的每年一次的主日学的野餐聚会上，一位来自格拉斯哥②的护士玛丽，正在此探望一位病中正在康复的朋友。因为詹姆斯和玛丽都不是本地人，所以他们整个下午都在一起谈天说地，聊他们的理想。当詹姆斯告诉玛丽他非常向往去海外传教的时候，玛丽的心中也响起共鸣。

从那个下午会面以后，詹姆斯和玛丽就经常相会，在一起的时刻彼此都觉得非常开心。玛丽离开格拉斯哥以后，他们就开始通信，每一封信都让他们的关系更加亲密。终于，詹姆斯求婚了。玛丽会答应吗？不仅要做一个牧师的太太，还要跟他到那前途未卜的远方。愿意！玛丽没有丝毫的犹豫。是的，她愿意跟随詹姆斯到天涯海角。那一年是1893年。

詹姆斯立刻申报了在格拉斯哥的神职学校，并于1897年毕业。然后他申请参加伦敦差会③举办的传教训练班。教会提醒他，在他完成培训课程，并在国外的宣讲基地实习一年以后，才能结婚。因为除非他能够胜任这样艰巨的召唤，否则教会无法提供家属的生活费用。

第二年，詹姆斯只身向蒙古进发。同时，玛丽也到赫布里底群岛④的路易斯岛⑤当护士。夏季正是捕鲱鱼的

埃里克·利迪尔

Eric Liddell

繁忙季节，渔民们在使用锋利的小刀加工鲜鱼的过程中，会受到各种各样的刀伤，而玛丽正是想利用这些包扎和处理伤口的机会来训练自己，预备将来到中国参加严峻的传教工作。

一年以后，尽管詹姆斯展露出学习语言的天赋，说得一口流利的中国话，尽管他还是确信自己这一生的选择，可在他给玛丽的信里，把蒙古的生活说得一无是处：天寒冰冻、沙坑遍地，怪异的游牧民族，传教基地只不过是座泥巴房子，再加上逐渐增加的政治动乱等等。

但是这些都无法阻拦玛丽·瑞登的决定：这也是她所选择的生活。她一生只愿意跟随这一个男人，同甘共苦。

1899年10月23日，玛丽和詹姆斯在上海天主教大教堂举行婚礼，虽然没有家人的陪伴，但是自始至终他们都感受到亲人的祝福和祷告。婚礼一结束，他们立刻起程前往蒙古的传教基地：先乘小火轮到渤海湾，然后搭火车，再坐骡车，风尘仆仆地赶往目的地。

7个月以后，义和拳的骚乱迫使他们踏上逃亡之旅。

确实，在1899年的整年中，义和拳运动愈演愈烈。他们一股一股，不断地掠夺和袭击可以找得到的基督徒们。大多数中国的农民都认同和接受义和拳的理念，这并不奇怪。他们觉得要是不听"义和拳"的主张，老天爷就不降雨水，也就没有了收成。在当时玛丽和詹姆斯所居住的蒙古农村，频繁发生义和拳袭击的事件。

1900年5月，一股义和拳的队伍出现在詹姆斯和玛丽居所的附近。半夜里，詹姆斯和怀着六个月身孕的玛

埃里克·利迪尔
Eric Liddell

丽急忙抓起一只小皮箱，坐上一辆东倒西歪的骡车，匆匆逃离了基地。经过几十里地的奔波，度过了最危险的几天以后，他们来到东海边，然后乘船又返回了上海。匆忙出逃的时候，他们顾不得带走那只装着传教生活资料的箱子，只好将那些贵重的东西丢下了。

虽然詹姆斯和玛丽已经在上海的基地安顿下来，但他们还是感觉到那种紧张的气氛。不久以后，义和拳攻打到上海，同时也开始威胁到其他城市。

很多基督徒并没有像他们这样幸运。在义和拳起义被镇压之前，大约200多个外国传教士遭到杀害。1900年6月13日，义和拳攻入北京以后，英、法、日、俄、德、美等8个国家为了保护他们在中国的利益和侨民的安全，宣布联合向中国出兵。慈禧太后一方面宣布派清兵抵挡联军；一方面宣布要杀掉所有在北京的外国人。结果八国联军占领北京，一年之后的1901年9月，清政府不得不和联军签订和平条约，中国不仅被迫在40年里赔偿一大笔银子，而且还要允许外国部队长驻北京。

那慈禧怎么样了呢？利迪尔家的孩子们很喜欢这个故事的结尾：慈禧乔装成村妇，坐着马车逃离北京城，连禁卫队都认不出来。义和拳起义被平定了18个月以后，英国当局允许慈禧返回紫禁城。狡猾的慈禧不得不承认，她化装逃跑是怕义和拳也会砍她的头。但是，那个和平条约限制慈禧永远不能再过问朝政的事情。

1900年8月27日，当詹姆斯和玛丽滞留在上海的时候，玛丽生了一个男孩儿，起名叫罗伯特·维克多①。当婴儿几个月的时候，詹姆斯决定重返蒙古。虽然听说

埃里克·利迪尔 Eric Liddell

① 罗伯特·维克多：Robert Victor，埃里克的哥哥，昵称罗比。

那里还有义和拳的散兵游勇，詹姆斯并不想改变主意。他还决定把玛丽和孩子送到天津。天津位于北京的北边，距离仅80多公里，而且离蒙古边界也不远。

但是天津并不是詹姆斯想像中的"天堂"。义和拳扫荡北京以后，紧接着就是天津。1900年6月11日，日本公使正在城门口巡逻的时候，被义和拳的游勇打死。这件事震撼了天津。妇女和小孩子们争相逃命，留下的人也无法和外面联络。义和拳攻陷天津两个月以后，八国联军的部队赶到了。

义和拳见寡不敌众，一个晚上，在几箱火药的噼里啪啦声中撤退了。他们走了以后，城里到处都是断墙残壁：天津的三分之一已被夷为平地。在遭受苦难的这些日子里，玛丽觉得神一直在保护她和罗比。但是詹姆斯还是音信全无。

虽然詹姆斯由魏都尉带领一小队清军护送，但是一路上险象环生。即使义和拳已经被消灭，和平条约也签了，村里还是常常发生报复杀人的事情，常常遭到土匪的袭击。当他们好不容易来到蒙古的基地时，眼前出现的是一片荒凉：基地已经成为废墟一片。詹姆斯无可奈何，只好回到玛丽的身边——天津。不久以后，家里又添了一口人。

1902年1月16日，埃里克·亨利·利迪尔①在天津出生。原名叫亨利·埃里克·利迪尔。父母觉得这个名字不是很合心意。就在詹姆斯去办理出生登记手续的路上，一位传教士朋友问道："小家伙叫什么名字？"

"亨利·埃里克。"詹姆斯直截了当地说。

埃里克·利迪尔 Eric Liddell

---

① 埃里克·亨利·利迪尔：Eric Henry Liddell

"哎，老朋友，将来他上学的时候，这个名字的缩写会给他添麻烦的。"[1] 那个朋友不假思索地说道。詹姆斯和玛丽忽然意识到这个名字的缩写意味着什么，就赶快把名字掉转了过来。尽管如此，这个故事还是传了出去，并且成了日后大家和小埃里克开玩笑的笑料。

埃里克几个月大，罗比快两岁的时候，詹姆斯被重新派遣到肖张的传教基地。肖张地处中国北方的大平原上，气候异常炎热，是大平原上两个传教基地之一。大平原上居住着一千多万人，其中大多数是农民。尽管土地干旱，还常常刮起沙尘暴，那里还是出产一些庄稼。年景好的时候，在淤泥沙滩的河床上，农民还可以收获一些谷子、小麦、黄豆、地瓜，还有花生等等的农作物。

詹姆斯这次也是独自前往肖张。到了 1903 年的春天，玛丽带着一岁的埃里克和两岁的罗比也从天津出发。他们先是搭 6 个小时的火车到德州，在一个满床跳蚤的小旅店里住了一晚，第二天再坐骡车，长途跋涉 40 里来到肖张。在到达肖张基地大门口的时候，疲倦的玛丽看到村口大门上悬挂了一块横幅，上面用中文写着"中外一家"。她不禁感到精神一振。

"是啊，"她心里相信，"义和拳暴乱终于结束了，这些人终于明白我们对他们没有任何恶意。"这时候，李牧师从里面急忙跑了出来，他一把搂住玛丽，然后拥抱着两个宝贝儿子：小小的他们在出生不久的战乱当中居然毫发未损。"李牧师"是村民给詹姆斯的"绰号"，

---

[1] 亨利·埃里克·利迪尔：英文 Henry Eric Liddell 的缩写是 HEL，与地狱 Hell 谐音。

他已经很习惯这个称呼了。

　　埃里克和罗比，加上1903年出生的洁妮①是肖张村仅有的"外国孩子"。上学以后，利迪尔家的孩子们要学习说中国话。和英文的26个字母相比，中文，也叫"官话"竟然多达5万个字。

　　对埃里克来说，跟着阿妈上学就是多学一些这样的"符号"。纪奶奶脾气很好，很喜欢陪"耶里"、"罗弟"和"洁儿尼"这三个孩子复习功课，特别是当玛丽在传教基地的医院忙碌的时候。

　　放学以后，埃里克和一大群中国的小朋友们一起玩耍。他学会了打乒乓球，下象棋，用筷子吃饭，还学会很多中国民歌。肖张的人爱唱歌，无论是白天在麦地里播种、犁地或收割，还是晚上回到泥巴房子里，总是歌声不断。

　　住在大平原上，传教士的孩子们最喜欢夏天。这个季节，肖张的气温常超过38度。为了避暑，他们向东而行来到海边，来到位于北直隶②海湾上的北戴河。

　　身穿一件连身的游泳衣，埃里克每天都在温暖的水里打水仗，戏耍玩乐，偶尔也跟玛丽学学游泳。詹姆斯一般都会在8月来这里和他们会合，因为在8月，农民们都忙着收割庄稼，很少人去教堂。所以他可以借机放下基地的工作，和妻儿一起度假。

　　1906年的8月，詹姆斯·利迪尔再次和全家一起在

---

① 洁妮：Jenny，埃里克的妹妹。

② 北直隶：明永乐十九年（1421年），改北京为京师，正式定为国都。明称直隶于京师的地区为直隶，相当于一个北京市、天津市、河北省大部和河南省、山东省的小部分地区。为区别于直隶南京地区的南直隶，亦称北直隶，简称北直。清初，改北直隶为直隶省。（引自《北京传统文化便览》）

这里休息度假。这是值得纪念的一年，因为很多年以后，他们才有这样全家相聚在北戴河一起度假的机会。在海边，詹姆斯读完第一份报纸以后，一脸的沉思，全家人都猜出来，他一定是在想苏格兰的事情。

"玛丽。你绝对不会相信这个！"詹姆斯一边摸着厚厚的灰胡子，一边大声喊着。

"爸爸，让我看看行吗？"罗比问道，很想知道发生了什么事情。埃里克睁大蓝色的眼睛，从罗比的肩头探望，也想知道是什么事情引起父亲的注意。

"温达姆·豪斯沃①真了不起，为苏格兰争光！"

每个人都疑惑地看着他。"呼扎沃？"埃里克模仿着说。

詹姆斯大声笑着，解释说："他是第一个在奥运会田径赛中赢得奖牌的苏格兰人，埃里克。"看着男孩子们仍然迷惑不解的样子，詹姆斯继续往下说道，"是这么回事，豪斯沃在400米赛跑的比赛中得了银牌，也就是第二名。"

"这么说，是不是苏格兰人从来没拿到过第一名，爸爸？"

詹姆斯看到埃里克终于明白了，高兴地点点头："对啊，孩子。从没有苏格兰人赢过奥运金牌。"又想了片刻，詹姆斯担心自己给埃里克造成了错误的印象，就连忙补充说，"埃里克，赢奖牌并不重要。重要的是你怎样奔跑人生的比赛。记得保罗②是怎样写信给哥林多

① 温达姆·豪斯沃：Wyndham Halswelle
② 保罗：Paul《圣经·新约》中基督耶稣的使徒。

教会①的吗？"他伸手从沙滩上拿起那本随身携带的《圣经》，翻开新约，"哦，在这里'你们也当这样跑，好叫你们得着奖赏。'你知道这里的奖赏指的是什么吗？"

埃里克睁大蓝眼睛说："是天上的，爸爸。"

1907 年春，7 岁的罗比、5 岁的埃里克和 3 岁的洁妮跟随父母，登上一班驶往德国的海轮。他们将经过 6 个星期的航行，到达英格兰的南安普敦港②。孩子们觉得这次旅行一定又刺激又惊险，感到非常兴奋。但是玛丽有些不放心。埃里克染上疟疾，腹泻还没有完全康复：黑黑的眼圈，瘦弱的身体。她真的很怀疑是否应该在这个时候休大假。

就在离开肖张前不久，一位传教士朋友看到埃里克，跟玛丽议论说："这孩子将来恐怕是跑不起来啦！"现在随着颠簸的航行，她轻轻抚摸着儿子的额头，几乎相信了朋友的结论——几乎，但不是百分之百。

每当走在生命的十字路口的时候，她都感受到神与她同在：无论是在主日学野餐会上和詹姆斯相遇、在上海天主教大教堂的婚礼、在与世隔绝的蒙古工作，还是在天津度过的战乱时光。特别是在肖张，神祝福和供应他们每年的生活。现在，神带领他们返回英国、返回苏格兰。他是不会离弃他的孩子埃里克·利迪尔的。

埃里克·利迪尔 Eric Liddell

---

① 哥林多教会：church at Corinth《圣经·新约》中保罗致信的教会。

② 南安普敦港：Southampton

第 三 章

1909 年·9 月·英国·伦敦

埃里克觉得哥哥用肘轻轻往前推他。但他好像被钉牢在地上一动不动，眼睛也好像被吸在脚上。罗比又用力把埃里克往前推，那里有一张好像塞满了整个房间的、巨大的木桌：校长 W．B．海沃德就是桌子的主人。

埃里克慢慢抬起长着金发的头，胆怯地往前看着：校长布满皱纹的脸上一双慈祥的眼睛望着他，他的脸很像利迪尔的爷爷。曾经和爷爷奶奶住过一年的埃里克立刻觉得校长没那么生疏了。海沃德先生立刻站起身，向孩子们伸出手。

"欢迎来到爱尔撒姆学院！① 第一天晚上过得怎样？"

埃里克和罗比心里想，离开父母单独过夜当然不好

---

① 爱尔撒姆学院：Eltham College。爱尔撒姆学院创建于 1842 年。起初是所小规模的寄宿学校，主要是为远去印度、中国和非洲的海外传教士们设立的子弟学校。1912 年迁到位于伦敦东南部莫廷汉姆区。这是一座环境优美的 18 世纪建筑，环绕学校的土地面积约 42 公顷，可以用作体育运动场地。1950 年改为走读子弟学校。

爱尔撒姆学院现每年招收约 800 名男生，65 名女生，年龄 7～18 岁。自从埃里克·利迪尔赢得奥运金牌以后，学院就一直保持高水平的体育运动之誉。学院的橄榄球队曾在 7 年中 3 次打入全国橄榄球冠军赛半决赛。（译自爱尔撒姆学院简介。）

过啦。远离亲戚朋友在闭塞的肖张生活，使得这个家庭彼此之间的联结更加紧密。离开这样的家让他们就更加难过了。但是在父亲度假期间，他们很快就适应了父母的家乡，在美丽的罗梦湖边喝茶，那绿树成荫的景色与中国黄土平原简直是天壤之别。熟悉父母的那些亲戚家人，让他们享受到更多的亲情。

过去的一年当中，他们哥俩在竹门镇学校读书。父亲在休假一年之后就立刻离开苏格兰回到了中国。现在，玛丽和洁妮也要回去了，得为男孩子们找一个能够比较长期居住的地方。有传教背景的孩子就更加特别。在以后的几年，埃里克和罗比将在伦敦差会的寄宿学校就读。这所学校位于伦敦的布拉克海斯①区，一些出名的基督传教士的孩子，比如大卫·李文斯敦②和詹姆斯·基尔默③，都在这所学校读过书。玛丽和洁妮暂时住在离学校不远的出租公寓里，玛丽要等到儿子们完全适应了环境以后，才会离开这里回到中国。

听到校长的问话，埃里克和罗比彼此看了一眼，低下头来。在爱尔撒姆的第一夜比以往任何的夜晚都糟糕——校长当然早就知道。

每一年，刚进寄宿学校的新生都要参加其他同学们准备的"欢迎"仪式。1909 年的场面是这样：那些老学生面对面排成两行，每个人的手中拿着一个打了结的手绢儿。当新生从夹道中鱼贯而入的时候，他们就要接

---

① 布拉克海斯：Blackheath
② 大卫·李文斯敦：David Livingstone
③ 詹姆斯·基尔默：James Gilmour

埃里克·利迪尔——Eric Liddell

古代"鞭杖刑"图（run the gauntlet）

受"夹道鞭打的惩罚"①式的"欢迎"。虽然埃里克和罗比觉得挺有意思，但仍然盼着早些结束，好回到两个人同住的宿舍去。"没那么糟糕吧，埃里克？"罗比关心地问埃里克。可是埃里克实在心情不好，一点儿也不想说话。"是不是想妈妈了？"罗比又问。除了头发略显沙黄色以外，跟埃里克长得一模一样的罗比，虽然才 8 岁，却是一副大哥哥的样子，总想安慰埃里克。

6 岁的埃里克躺在铁床上，用力将身体缩成一团，心想罗比马上就会过来看看我是不是在哭鼻子。果真如此，不一会儿就听到哥哥叭嗒叭嗒的脚步声，从房间另一边往这边走来，然后又感到脸旁哥哥的呼吸。"埃里

---

① 夹道鞭打的惩罚：run the gauntlet，是一种在罗马时期惩罚犯人的手段。现在，大学里有的学生也用此来作为对室友的惩罚。

克，别这样，跟哥哥聊聊呀。"

埃里克慢慢地转过脸，面对着哥哥，也是他最好的朋友，下巴抖动着，什么也没说。

"我们必须适应这儿，还要假装一切都好，让妈妈放心，你明白吧。"

埃里克大声抽泣地说："妈和洁妮一定得回中国吗？"

罗比点点头："当然啦，你知道爸爸在那里。"

埃里克合上眼睛，隐隐约约听到罗比跟他道晚安，他多么希望黑夜赶快过去，明天快些来临。

这时候，校长海沃德上下打量着这哥俩，从他们长着金色和沙黄色头发的脑袋，看到脚底下皮鞋上的鞋带。罗伯特或叫罗比看上去比那可怜的、小小的埃里克强壮得多。他心想，我要尽力帮助他，是的，一定尽力。6 岁的孩子看起来不应该这么苍白、瘦弱。可想而知在中国的生活多么艰苦。

好像猜到了校长在琢磨什么，哥俩又低下头，眼睛牢牢地盯在了地上。听到老人清着嗓子准备开口说话，他们赶忙抬起了头。

"我相信在这第一个学期里，你们一定会应付得不错。"海沃德说，"除了正常学科以外，你们还要学会打橄榄球（rugby），哦，我想男孩子们叫它'rugger'。很棒的运动，一定会让你们身体强壮，脸上像苹果一样的红润！"

接下来的一个月里，罗比和埃里克很快学会了打"rugger"，而且成了他们最喜欢的运动。尽管在英国，橄榄球（还有英式足球 soccer）都被称作足球（football），但是和美式足球完全不一样。橄榄球，就是类似

埃里克·利迪尔 Eric Liddell

橄榄形状的球，用脚踢上去很容易弹跳起来。打橄榄球的每一队有 15 名队员，他们带球、踢球、传球，设法将球带过一定的界线以外就可得分。打英式橄榄球当中，不能阻截或是绊倒对方，传球的时候，球员也不能跑在球前面的位置上。

校长海沃德酷爱橄榄球运动，在爱尔撒姆学院，他规定每年举行两场橄榄球季赛。季赛的时候，一星期至少三至四场比赛，期间还有很多场的训练。因为比赛季节当中没有休息，持续的运动让埃里克变得越来越强壮，他的变化，老校长当然也发现了。

"你一定很喜欢喝早餐的麦片粥吧，小伙子。"这一天，当埃里克离开橄榄球场的时候，海沃德先生这样和他打招呼。这小家伙的脸上透着粉红色，如同盛开的花瓣儿一般。他心里为埃里克的健康成长感到非常自豪。

"是的，先生！"他回答说。埃里克眨眨蓝色的眼睛，大声地笑着。他情不自禁地笑，是因为实际上，寄宿学校餐厅的伙食几乎一成不变，味道也不怎么好。早餐是麦片粥、面包和黄油，偶尔也提供些诸如果酱和橘皮酱之类的；晚餐通常是一大块面包，配上土豆肉汁汤；午餐则是……

"哦，也喜欢吃晚餐的肉汁布丁吧①？"老人接着问。其实他心里完全明白，大多数孩子们实在不敢恭维那经常享用的晚餐。爱尔撒姆学院菜谱中最"恐怖"的主菜，就像它的名字一样，是名副其实的牛脂肉汤，或者说是肉脂布丁②。

---

① 肉汁布丁：meat putting
② 肉脂布丁：meat drippings on suet putting

　　埃里克使劲儿摇了摇头，在校长的嘘嘘声中跑掉了。几个星期之前有谁料到他的变化呢！校长一边想，一边摇晃着脑袋，而且好像他能跑步啦！

　　时光如同穿梭般飞逝，玛丽最害怕的时候到了——跟埃里克和罗比道别。在公寓里住满了一个月，她就要回中国和丈夫相聚。从詹姆斯的来信里得知，中国现在的局势又开始变得微妙起来。随着慈禧太后和她的外甥光绪皇帝的相继去世，新的革命势力开始展露锋芒，走上政治舞台。玛丽思前想后，决定宁愿面对中国不稳定的局势，也不要面对与两个红润健康的儿子分别的时刻。

埃里克（左）和哥哥罗比在爱尔撒姆学院时的合影（1909）

　　她选择在一场橄榄球比赛中离开。因为大多数孩子们的家长都是传教士，此时都在传教的地方，很少有人可以观看他们的比赛。她也不想此刻出现在那里，干扰孩子们的情绪。她滞留在校长的办公室，等到比赛开始以后才走向比赛场地。在那里，她看到两个宝贝儿子和其他的队友们在一起。他们大笑着，相互挽着臂膀，将球踢给后面的队友，这意味着比赛正式开始了。儿子们全神贯注在比赛当中，并没有看到他们的母亲。玛丽微笑着，高兴地离开了。

埃里克·利进尔
Eric Liddell

她不敢想下一次见到罗比和埃里克要等多久，只知道那是几年之后。神会照顾他们的，她安慰着自己，我和儿子们的祷告神都能听见。

那天夜里，当玛丽和洁妮登上驶向中国的轮船时，埃里克躺在小床上，不想让罗比知道他有多么难过，等他睡着以后才哭起来，带着眼泪睡着了。

有一天，我也要回去。埃里克下定决心，有一天，我要在中国和父亲肩并肩地工作。

爱尔撒姆学院搬迁以后的外景

爱尔撒姆学院，又称传教士子弟学校，是所不大的学校，总共加起来约有不到 200 个学生。根据校方的记录，当时有 126 个学生是传教士的子弟；14 个寄宿学生的家庭是非传教士；还有 46 个是走读的本地学生。虽然学生不多，这座位于布拉克海斯区的灰色的石头建筑已经显得过小，难以容纳日益增多的孩子们。校长海沃德开始寻找一处较大的地方作为新址。

1912 年，位于伦敦莫廷汉姆区①的皇家海军学校搬迁，空出的校园正好可以使用。爱尔撒姆学院不久就搬到这里。埃里克和罗比很喜欢新的地方，因为他们的宿

① 莫廷汉姆：Mottingham

舍比以前大，运动场地也比以前多了。不仅如此，在新的校园里，增添了可以让人夸口的图书馆、实验室，还有一座小礼拜堂。

学校不仅改了地址，将名字完全改为"爱尔撒姆学院"，而"传教士子弟学校"已经不再用作副名。

埃里克和罗比住在学校3年了，这里已经成为他们的家。学校放假的时候，通常是那些无家可归的学生最难受的时候。所以在竹门镇的亲戚们常邀请利迪尔的儿子们去过暑假。那些不在海外工作的传教士朋友们有时也邀请他们。在这几年当中，虽然他们不能亲眼看到父母和妹妹，也常收到母亲写给他们的信，信里不无苦涩地告诉他们一些中国的状况。

在西方名誉扫地的中国女皇慈禧太后，很快就成为回忆。新革命势力的领导人，决心要推翻压制自由的满清王朝，把西方的民主引进中国。为了取得这个目标，包括给全中国人带来经济利益，孙中山——一位贫农的儿子，受过浸礼的基督徒，注册家庭医生——开始寻求日本的帮助。这时候的日本也正急于向中国施加影响。

1911年，孙中山领导的革命军终于成功地推翻了满清政府。次年，孙中山被选为新成立的中华民国的总统。（同时，仅6岁的皇帝溥仪被废，并且永远不许踏出紫禁城的大门。）但是，在中国的近代史当中，在这个土地辽阔的国家，仍然四处发生动乱。不久，袁世凯，一个拥有势力的军阀，以维系国家的统一为理由，胁迫孙中山退位。

这样的局势对利迪尔一家还有其他传教士们会发生什么影响呢？显而易见，接受西方的思想是一种积极的

埃里克·利迪尔

Eric Liddell

27

姿态。但是，他们担心，孙氏中国民族主义的哲学只是华丽的词藻，并不能使政权真正稳定。实际上，孙氏已经开始四处寻找援助，比如请求俄国派遣大批部队，企图巩固他的政权。

当然，他们毫无办法左右中国的局势。

罗比（有时候加上埃里克）写信告诉父母学校发生的很多故事。来自两个年轻人的信充满生机，流露出发自内心的高兴，他们不再需要假装的开心了。他们还急不可待地要和刚出生不久的小弟弟套近乎。俄内斯特·布来尔·利迪尔，他们的弟弟于1912年底出生。

> 亲爱的妈妈、爸爸、洁妮和俄内斯特（有人会念这封信给你听）：

> 首先，我们寄上给小俄内斯特好多好多拥抱和笑脸，他将成为我们爱尔撒姆学院的又一名男生！我们保证一见到他，就给他上打橄榄球的第一课。哦，我们是说生为利迪尔家的男人，就要继承"优秀的传统"！

> "新"学校还不错，我们认识每一个男孩子，也认识每一位老师（他们为什么都不是"新"的），读的功课也是同样的。如果你们知道我这学期的分数，一定很高兴（埃里克另外会写信给你们）。他也挺好。知道吗？他还上台参加演出了。在《爱丽斯漫游奇境记》里，他扮演那只睡鼠。结果现在每个人都叫他"老鼠"。

> 但是他并不像只"老鼠"。三年来经过三次那个愚蠢的"鞭打"新生的游戏，你们的儿子埃里克终于让它结束了。

埃里克为他自己要"鞭打"新生而心中不忍，就大喊说："够了！"其他的人也就停止不闹了。现在所有的同学都喜欢埃里克，真的，他们觉得他跟别的学生不一样（当然我可以给他们讲好多关于埃里克的故事）。

你们可能还不知道，老校长海沃德已经退休了（他多大啦）。新校长名字是罗伯森，看上去他还不错，但是他定的规矩里有一条不怎么样。发生了一件好玩儿的事情，埃里克说讲给你们听没关系。

事情是这样的：新校长规定，谁也不许在宿舍四周的小路上骑自行车。他说了很多次，听得我们很烦，哪里会有人不听他的话呢？

结果，一天下午，四周静悄悄的，你们猜谁竟敢在小路上骑车？校长罗伯森自己，车手把上还坐着他的小儿子！他还以为谁也没看见呢。

这时候，你们的儿子埃里克凑巧在看窗外的景色。听到有人骑自行车的声音，就不由分说大声喊着："嘿，不许在这里骑车！"喊完以后就赶快缩回房间里面。

可能你们禁不住笑起来了！无论如何，校长听出了是埃里克的声音，罚他呆在房间不许吃晚饭。但是我想他并不是真的在生埃里克的气。

我们出去摘草莓了。真是一流的郊游活动，可惜只有这一次。一位走读学生的父亲在经营一个草莓农场。他要我们去帮忙采摘草莓。我们去了，帮了他，也"帮"了我们自己！今天下午，我们又出去游泳了，我很开心。你们知道我们的爱尔撒姆学

埃里克·利迪尔 Eric Liddell

29

院并没有游泳池，所以我们得搭火车去雷迪威尔的巴斯游泳场。同学们，也包括给你们写信的我，都鼓动埃里克表演那个滑稽的动作。

裹上一条毛巾，埃里克假装从国王手里接受"巴斯①勋章"。他装出一副愚蠢的样子，把大家都逗乐啦。

你们在上一封信里说，我们不久就会见面，希望是真的。埃里克代问安。

你们的儿子
罗比

埃里克兄妹四人合照（1915）

玛丽、洁妮和俄内斯特于1914年回到伦敦的时候，正值英国处在第一次世界大战的边缘。玛丽在竹门镇和家人稍加团聚以后，急忙赶到伦敦。这一次她也住进公寓，并签了一年的租约。由于战争的阴影笼罩着学校，罗比和埃里克不得已搬出学校，和家人同住，白天依旧去上学。很多爱尔撒姆学院的学生离开学校加入了英国

① 巴斯：bath 沐浴洗澡。

军队。随着战争的持续，每天聚会的时候，都报告那些为国捐躯的人的名单——爱尔撒姆的男孩子们为国家作出了巨大的贡献。

也许是因为战争的缘故，洁妮决定不在英国读书，而回中国上学。虽然她已经被瓦塔姆斯托市①的传教士女子学院录取，她只在那里呆了很短的时间。玛丽觉察出她不太开心，就决定带她一起回中国。后来她被靠近渤海湾的芝罘岛②的传教士子弟学校录取读书。

芝罘岛鸟瞰图

就在洁妮要离开之前，埃里克因为有一科的成绩不太好，就和洁妮聊天。"功课好不好无所谓，"他胆怯地说，"可我会跑步！"

显而易见，埃里克发现学校的体育运动非常适合他，他的得分远比在教室里的功课要高。在课堂上，他的成绩普普通通。年轻的"飞人"为了表示成熟和智

---

① 瓦塔姆斯托市：Walthamstow
② 芝罘岛：Chefoo。烟台市芝罘区是中国历史上最早的外洋通商口岸之一，因其北部的中国最大、世界最典型的陆连岛——芝罘岛而得名，世界权威的《大不列颠百科全书》中标称烟台即为"chefoo"。"芝"即灵芝。芝罘岛的形状，恰似一株巨大的灵芝；"罘"即屏障。芝罘岛横卧在黄海之中，似一道天然屏障，护卫着身后的沃土。也就是说这个岛有"灵芝"一样的形状，有"罘"一样的作用，因此称之为"芝罘岛"。（摘自烟台市芝罘区人民政府网站）

埃里克·利迪尔｜Eric Liddell

芝罘学校

慧，经常引用一句铭言。1908 年在伦敦举办的第五届现代奥运会上，宾西法尼亚州的大主教引用了这句悬挂在宾州大学校园大门上的铭言："无论结局是输是赢，尽力而为就是荣耀。"

　　埃里克对自己的潜力，估计得一点儿没错。当他和哥哥又搬回学校住的时候，虽然他们仍是彼此相亲的好兄弟、好朋友，但是在运动场上，他们成了不相上下的竞争对手。

　　在离开学校的前

爱尔撒姆学院
橄榄球队 (1918)

三年，他们连续入选橄榄球和板球的校队。战争造成这两个校队出现空缺，需要补充年轻的队员。埃里克就是其中的一个。1916 年，年仅 14 岁的埃里克打橄榄球时的超凡球艺，已经是远近闻名了。埃里克在球场的位置是在四分之三场，就像踢足球的边锋，最出名的就是他的速度。他要在边翼以外飞快地跑来跑去，等待机会进球。

在橄榄球和板球队，哥俩是队友，肩并肩参赛。但是在田径运动场上，他们成了"对手"。

1918 年，罗比已是高中最后一年的学生了，他下决心在比赛中不能输给弟弟。那年最后的、也就是比分最接近的一场比赛是 100 码赛跑，即运动员要在短距离内奔跑出胜负。

按照惯例，哥俩在开赛之前彼此握手。埃里克又想赢哥哥，又想让哥哥赢自己。比赛的信号响起，罗比一马当先，埃里克迎头赶上，其他的运动员远远落在后面。前方，终点线在风中颤动。

往后仰头，往前挺胸，埃里克领先罗比一步冲过终点线，以 10.8 秒的成绩平了学校的记录。

罗比紧接着扳回一局，在障碍赛（跑步跨栏）、跳高和跨栏的项目中取胜。埃里克后来赢了 440 码赛跑和跳远的冠军，并且被评为 1918 年全能最佳运动员。16岁的埃里克获得了布拉克海斯奖杯，成了学校历史上最年轻的奖杯获得者（头一年是罗比）。下面的统计是1918 年第一名和第二名得奖人的名单记录：

	冠军	亚军
长跑	R. 利迪尔	E. H. 利迪尔
跳远	E. H. 利迪尔	R. 利迪尔
跳高	R. 利迪尔	E. H. 利迪尔
100 码	E. H. 利迪尔	R. 利迪尔
跨栏	R. 利迪尔	E. H. 利迪尔
440 码	E. H. 利迪尔	R. 利迪尔

埃里克·利迪尔
Eric Liddell

在那年的下半年，第一次世界大战宣告结束。罗比按照计划，进入爱丁堡大学的医学院读书。这所著名大学吸引了来自全国各地的学生，著名的校友包括本杰明·拉施博士[①]、查尔斯·达尔文[②]、约瑟·李斯特[③]、詹姆斯·西门[④]以及詹姆斯·辛浦森[⑤]。

罗比毕业离开学校以后，埃里克就顺理成章成了校园的头号风云人物。他不仅被选为学生会负责人，还接任两支球队的队长。在1919年的一场短跑比赛中，埃里克以10.2秒的成绩，打破了由他自己保持的100码记录。在此后的80年里，爱尔撒姆学院从未有人打破这个记录。埃理克还赢得1919年田径比赛高年级运动员冠军（罗比是前一年的冠军）。

更让校长乔治·罗伯森自豪的，是埃里克在运动场以外的表现。他这样评价这位意志坚定的年轻人："埃里克在学校很受欢迎，但是并不爱慕虚荣。从他和别人相识的第一天开始，他就流露出这种品格。因为有人从他小的时候，就注意培养他的这种品德了。在他身上看不出虚假骄傲，他知道自己要做什么。"

虽然学校并没有规定学生必须参加爱尔撒姆的查经班，但是埃里克总是出席，从未间断过。后来他成为苏格兰公理会的会员。爱尔撒姆查经班以及伦敦差会都与公理会保持着很密切的关系。在查经班他比较寡言少

---

① 本杰明·拉施博士：Dr. Benjamin Rush
② 查尔斯·达尔文：Charles Darwin
③ 约瑟·李斯特：Joseph Lister
④ 詹姆斯·西门：James Syme
⑤ 詹姆斯·辛浦森：James Y. Simpson

语，但是他觉得可以接受其中包含的道理。那时候，埃里克的理科老师 A. P. 库伦①对他产生的影响也非常大，他们后来一直保持着非常紧密的联系。库伦在埃里克毕业前的一年到天津的新学书院②任教。（埃里克人生的三个重要阶段中：少年期、运动生涯时期和在中国传教时期，库伦是惟一与他共同走过的人）。

非常明显，在埃里克心中，日益充满着神的爱。他开始探访在附近伊斯灵顿医院③的病人，这种活动多年后证明对于他的工作有极大帮助。作为基督徒，最出色的是他在学校的好名声。在学校里，他不仅是所有男孩子的朋友，而且是那些身体没有他那样强壮的同学们的朋友。他不像哥哥罗比那样，作为爱尔撒姆的优等生毕业，但是他将成为一个学业中等，却极有天赋的基督徒运动员，给爱尔撒姆学院的运动场洒下永远的光芒。

1920 年春天，玛丽、洁妮，还有俄内斯特回到苏格兰。当玛丽带着年幼的儿女在爱丁堡市威沃雷④火车站下了火车的时候，惊讶地捂住嘴说不出话来。5 年前她与罗比和埃里克分别，如今她那金发儿子已经长成了小伙子。当两个魁梧健壮的儿子用手臂紧紧环绕着她的时候，玛丽开心地哭了起来。她真猜不出，詹姆斯几个月

① A. P. 库伦：A. P. Cullen
② 天津新学书院：清光绪二十八年（1902），伦敦基督教会在海大道（今大沽路）养正书院旧址创立新学书院，原名 Tianjin Anglo－Chinese College。1930 年改为私立新学中学。1941 年，新学中学停办。1947 年复校。1952 年被新政府教育局接管。（请参附录二）
③ 伊斯灵顿医院：Islington Medical Mission
④ 威沃雷：Waverley

埃里克·利迪尔 Eric Liddell

35

回来以后，见到他们会是什么光景。詹姆斯离开的时候，罗比8岁，埃里克才5岁。

为了适合一大家子居住，玛丽和詹姆斯在爱丁堡市的一条僻静的街区里——吉勒斯佩大街①21号，租房子住了下来。这里比较靠近罗比正在就读的爱丁堡大学医学院，而且离埃里克计划在秋季入读的爱丁堡大学黑若瓦特学院②也不远。

这年的夏天，埃里克顺利通过了大学入学所有科目的考试，惟独法文不及格。为了补考，埃里克聘请了一位法文老师晚上来给他补习功课。为了筹备给老师的费用，他在郊区的农场找了一份临时工。每天早上，六点钟起床，随便吃点东西以后，他就跳上自行车飞奔而去。天黑以后才回到家，然后就用功复习。

虽然埃里克靠打工补习功课非常辛苦，那年夏天还是有些让人开心的事情。奥林匹克运动会又一次成为利迪尔家的话题。1916年的比赛因为战争的缘故被取消了，所以使得即将来到的世界运动会更加有意义。随着一次大战的结束，人们为胜利欢乐庆祝，也为退役的残废军人而难过，为了刺激百废待兴的经济，为了治疗受到战争创伤的心灵，大家都对这样的体育运动比赛产生兴趣。很多入伍的前届冠军们回到家乡，把冲锋枪换成接力棒，把军靴换成跑鞋，为夺取奥运会金牌摩拳擦掌。

看到日益成长的儿子们每天急迫地翻读报纸，查看

---

① 吉勒斯佩大街：Gillespie Crescent
② 黑若瓦特学院：Heriod – Watt College of Edinburgh

在比利时安特卫普①的赛程表，玛丽无可奈何地摇摇头。"谁会是下一个温哈姆·豪斯沃?"她认真地问。很可惜，这位有名的苏格兰运动员、一次大战的上尉，在战场上牺牲了。所有的苏格兰人都为他的死亡感到难过。

罗比耸了耸肩膀，指了指弟弟。埃里克听到有人提到温哈姆·豪斯沃的名字，故意将报纸举高挡住自己。虽然埃里克已经参加了很多场田径比赛，可那些都是爱尔撒姆学院低水平的竞赛……但他的兄妹们对他的能力却深信不疑。

"我也同意，罗比，他就坐在那儿。"洁妮随声附和说。

埃里克·利迪尔 —— Eric Liddell

---

① 比利时安特卫普：Antwerp Belgium

第 四 章

1921 年～1923 年·苏格兰·爱丁堡

埃里克将奥林匹克丢在脑后,几乎一年没有踏足田径场。在 1920 年到 1921 年 4 月期间,他每天骑着自行车从父母家赶到三里以外的爱丁堡大学的黑若瓦特校园上课。从爱尔撒姆简陋的寄宿学校,到世界一流的大学主修理科,这种转变使他难以适应。他除了要应付繁重的功课,还要调整多年来第一次与父母住在一起所产生的不习惯。

从运动场上抽身而退,让埃里克把更多的时间放在追求理想上。或是说可以把理想具体化。他已经暗下决心,要追随从前爱尔撒姆的老师 A. P. 库伦到中国的天津新学书院当一名自然学科老师。虽然他和哥哥都经常参加离家不远的摩宁思①公理会的聚会,但埃里克拿不定主意,是否还要追随父亲去当一名传教士。他想,做不做牧师还是过几年再说吧。

1921 年冬,利迪尔全家搬到麦其斯顿街区②四号居住。这里房间宽敞还附带全套家具。不仅如此,后来他

---

① 摩宁思:Morningside
② 麦其斯顿街区:Merchiston Place

们才发现这儿离埃里克上学读书的学校不远，当然也方便了很多。距离新家四条街以外，就是著名的格罗克哈特①运动中心，这里是爱丁堡大学举办许多运动比赛，包括每年一次的大学运动会田径赛的场地。

这时，有个朋友听说埃里克在爱尔撒姆的辉煌成就，就来动员他参加 5 月 8 日大学运动会的比赛。埃里克一口回绝了。他这么忙，哪里有时间去参加训练。还有，他和几个朋友计划好了，准备在放春假的时候，骑自行车长途跋涉，登上本纳威斯山②的山顶。

骑车远征回来以后，埃里克感到体内所有的力量都耗尽了，就连骑车上学都很困难。不过，从这次累个半死的骑车越野历险中恢复过来以后，埃里克重新考虑了朋友的建议，决定回到跑场，当然只是玩玩儿，没有当真。

校运会第一场 100 码冲刺的预赛结束以后，就连偶尔驻足观看比赛的人，都同意爱丁堡大学部的校刊记者写出的评论："一颗闪闪发光的新星出现在苍穹。"小报又回顾了埃里克过去的运动生涯和所取得的出色成就。这下所有人的眼睛都开始注意他的名字。在那次的预选赛当中，埃里克的成绩和众所周知的下一届苏格兰准冠军 G. 伊俄斯·斯特瓦特③的成绩仅差几吋。决赛时，埃里克以 10.4 秒获得第一名；而斯特瓦特以一英尺之遥，领先埃里克获得 200 码的冠军，成绩是 23.4 秒。

---

① 格罗克哈特：Craiglockhart

② 本纳威斯山：Ben Nevis，距爱丁堡西北部 125 里，高达 4000 呎。

③ G. 伊俄斯·斯特瓦特：G. Innes Stewart

埃里克·利迪尔——Eric Liddell

一个月之后（6月18日）在苏格兰大专院校联赛运动会①上，全场都为埃里克而轰动。埃里克顺利通过预选赛，赢得100码和220码短距离跑比赛冠军。他220码短跑的成绩极为突出——22.4秒。几天以后，在格拉斯哥汉普登公园②举行的苏格兰业余运动员冠军赛③中，观众的眼前又重现了这一幕：埃里克再次夺得这两项比赛的冠军，这一次他以22.6秒的成绩跑完220码的全程，创下苏格兰业余运动员冠军赛的记录。

埃里克这颗"新星"如此耀眼，就连 G. 伊俄斯·斯特瓦特也称他是"苏格兰运动员的新生力军"。爱丁堡大学为了培养这位真正的"人才"，赠送给他只有最杰出、最优秀的学生才能获得的特殊奖励：一位私人体育教练。

埃里克环顾着四周，真不敢相信世界上居然还有"跑得好体育场"④ 这个地方：双层椭圆形跑道上面铺的不是草皮，也不是泥土，而是细细的煤渣。他深深吸了一口气，坐在空旷的体育馆看台上，抬头看了看蓝色的天空，又低头看着标准形状的黑色跑道，耳边传来汪

① 苏格兰大专院校联赛运动会：InterVarsity Sport；类似美国全国大学体育运动会的比赛。
② 格拉斯哥汉普登公园：Hampden Park, glasgow
③ 苏格兰业余运动员冠军赛：Scottish Amateur Athletics Association Championship
④ "跑得好体育场"：Powerhall Stadium，位于英国苏格兰爱丁堡。建于 1871 年。20 世纪初用于举办各种专业田径比赛。自 50 年代至 80 年代，用于职业运动会和每年一度的"赛跑迎新会"的场所，还进行其他的比赛，比如足球、橄榄球、赛狗场和摩托车比赛。1995 年被出售，接着被拆毁修建成住宅区。（摘自英国赛跑场地索引）

埃里克·利迪尔 | Eric Liddell

汪的狗叫声。坐落在爱丁堡大学和海港地区中间的"跑得好",不仅提供给人练习跑步的地方,还是提供给狗练习比赛的场地。当时赛狗在苏格兰风行一时,很多人喜欢赌狗比赛。所以这个体育场的上层跑道是为两条腿的人使用的,而下层跑道则是为他们的狗朋友保留的。当然体育场的规定严禁人和狗在同一天出现。埃里克后来得知这个限制以后,紧张的心情这才松弛下来。

这还不算,当埃里克看到几个运动员来到场地准备做热身赛的情景,几乎笑出声来。原来他们刚一到场,就脱掉长裤,露出里面看起来非常滑稽可笑的灯笼短裤。然后开始跳上跳下,向前后左右伸胳膊伸腿。难道我也要一个星期到这里干这个吗!

他低下头不让自己笑出声,这时候他看到一个人影在走近他。接着觉得肩膀上给人拍了一下。

"对不起,你就是埃里克·利迪尔,不是吗?"

他慢慢抬起身子往上看,一张饱经风霜的脸出现在眼前:"我就是。"

"我是汤姆·麦可查①。"那人笑着说,伸出手来,"我是大学的体育教练。有人告诉我在这里能找到你。"

有人告诉埃里克,这人是爱丁堡大学一流的教练。当埃里克握住那双强壮而发达的双手的时候,意识到要接受一件不可更改的事实:神让他成为特殊的原料,这个就是要将他锻造成材的人。但是,他还是不太服气地争执说:"我知道你是来帮我的,但是除了让我尽量快

---

① 汤姆·麦可查:Tom McKerchar

跑，你还能告诉我做些什么呢？"

轻轻擦了一下下巴，汤姆·麦可查向地上看了一眼，然后望着埃里克蓝色的眼睛："哦，年轻人，我们就从这儿说起吧。我看过你跑步的样子……"

汤姆·麦可查看过有史以来在大学里举行的每一场比赛，但从没见过像埃里克那样的跑步姿势。与其说是世界级的赛跑选手，不如说像在马戏团里蹦跳腾跃的小马。虽然如此，他还是看到埃里克的潜力，就算不改变那种"风车式"的姿势，他也能帮助埃里克跑得更快。关键是埃里克是否愿意与他合作。

那天晚上，埃里克回到家里，想问妈妈的意见。母子俩一起坐在厨房的桌前，母亲将儿子强壮的手紧紧握住。埃里克非常喜欢触摸母亲的手的感觉。中国经历的苦难让那双手变得十分有力，那是一双让他总是感到心里平静，带领他往正确的路上奔走，为他永远祷告的手。

"妈，神真的要我去赛跑吗？"

反复抚摸着埃里克的手，这位上了年纪的女人盯着她日益成长的儿子说："神给了你极大的恩赐，这我敢肯定。"

"但是你明白我的计划。我从小的理想，就是能和在中国的父亲一起工作，当然要先给库伦教授当助手。这种样子的训练和跑步，能帮助我实现这个理想吗？"

"你是知道的，埃里克。几年之内你不可能去中国。那像这样的跑步，又能有几年呢？我觉得答案是一样的：只有几年。这也许就是神的计划。去跑步吧，将荣耀归给厚赐你的神。"

埃里克的脸上绽出笑容，不断点头说："你知道吗，每当我跑步的时候，真的是感觉到为神在奔跑。你瞧，明天在体育场训练的时候，人家看到我跑步的样子，一定会有人笑我啦。"

那个时候的欧洲，所有运动员训练都必须在体育场的范围以内，绝不能在公众场合进行。如果在街边或是在公园里训练，特别是穿着那种短裤的话，会被人认为有伤大雅。所以埃里克一个星期三次，在"跑得好"体育场和汤姆碰头。他在那里不仅穿着短裤绕着跑道练习，而且还开始接受当时最科学的训练方法。

汤姆告诉埃里克，怎样提高跑的速度、怎样放低膝盖的位置、怎样用最佳的姿势冲破终点线，还向他特别强调，跑到终点以后，不要马上停止，要跑出稍远一些再停下来，好让体温慢慢恢复正常。汤姆还告诉埃里克一些跑道以外的注意事项，比如练习或比赛之前吃些什么、不要吃太油腻和淀粉类的东西。每次训练结束以后，汤姆常常为他按摩，让紧张的肌肉放松下来。汤姆曾接受过专业的按摩训练，非常提倡按摩肌肉式的放松方法。他给埃里克按摩的主要是大腿和小腿部位的肌肉。

埃里克在一封信里描述了他早期训练的情景：

> 刚开始这种训练的时候，我觉得没什么。后来才知道是多么有必要。他（指汤姆）把手放在我身上，猛力敲打，如同在敲打一块面团，把这块肌肉弄成这个样子，把那块肌肉弄成那个样子。说是这

埃里克·利迪尔 ｜ Eric Liddell

样就能把我塑造成型。训练没那么简单，很容易变得单调起来。

这种"单调"的训练，要到来年春季参加比赛的时候才知道效果。但是那年的夏天他还是参加了几场比赛。然后和全家人来到苏格兰海岸、克莱德河入海之处的拉吉岛①一起度假。拉吉岛离海伦堡②仅几英里，就是在海伦堡，他碰到布莱尔牧师③，并且在他的鼓励下准备献身传教工作。

7月初，埃里克参加了在贝尔发斯特④举办的英格兰、苏格兰和威尔士三国联合比赛。在这场比赛当中，苏格兰和爱尔兰的选手们要和来自英格兰和威尔士的同胞选手竞争。7月9日，埃里克一马当先，以10.4秒的成绩打败著名的英格兰选手W. A. 黑尔⑤，夺得100码的第一名。一个星期以后，在西克尔布莱德⑥举行的另一场比赛上，他又夺得了冠军。从此，人们赠给他一个绰号："苏格兰猎犬"。

这年的夏天，埃里克除了比赛，并没有忘记基督徒的职责。在拉吉岛度假期间，他报名加入救生协会⑦，在海滩当救生员。他很喜欢这份暑期工，因为他不但可以在沙滩上练习跑步，还可以向有机会遇到的年轻人作

---

① 拉吉岛：Largs
② 海伦堡：Helenburgh
③ 布莱尔牧师：Reverend Blair
④ 贝尔发斯特：Belfast
⑤ W. A. 黑尔：W. A. Hill
⑥ 西克尔布莱德：West Kirkbride 位于甘尔布亚湖区（Cumbria Lake District）的北面。
⑦ 救生协会：Life Guard Corps

耶稣基督的见证。沙滩上经常有些少年帮，蛮横无理四处扰乱他人。他就使用了一种特殊的方法来对付他们。

埃里克找到他们的头儿（他们通常是大块头），勇敢又不失礼地和他们打起交道。"你看上去比我结实多了，"相比之下，这个身材有点儿单薄的救生员说，"跑起来一定很快吧？"

"在这儿，沙滩上？当然比你这穿着可笑的泳衣，挂着口哨的家伙行啦！"这些头儿通常都会这样回答他。

埃里克二话没说，把手里哨子递给旁边围观的人，"帮忙吹哨子。看谁先跑到那边的码头。"哨声一响，埃里克立刻就把那年轻人甩在后面，转眼他就在码头的那边，伸出手等着握手呢。"跑得不错，下次再来。"他说。然后他就开始讲神的儿子的故事，告诉他们神是他所有的力量的源泉。

夏天结束的时候，埃里克在爱丁堡参加了几场比赛以后，格拉斯哥《先锋报》登出了一篇文章，评述他在第一季度校季比赛的成绩：

> 埃里克·利迪尔……即将成为英国的冠军……也许将成为奥运英雄。他的成功实在特殊，特别是在业余运动员里更是凤毛麟角。4 个月前他还是无名小卒，如今他竟排列在英国短跑健将的行列之中。

9 月开始以后，这位冠军再次骑上脚踏车，奔驰在校园和家之间的路上，观众的欢呼声已经淡化在他的记忆里。

春天和夏初是爱丁堡大学田径比赛的季节，而秋季

英格兰爱丁堡大学橄榄球队（1922）

则是橄榄球比赛的时候。埃里克凭着他在爱尔撒姆橄榄球队的成绩，进入了爱丁堡校队，继续从事这项他非常喜爱的运动。到 11 月的时候，他们已经和伦敦的几个橄榄球队交过手。12 月，埃里克被苏格兰国家队选中，两场比赛之后，就接纳他为正式队员。这是一种殊荣，如同一个刚入大学校门的新生被选入奥林匹克国家队一样。

虽然埃里克在入学的第一年就进入苏格兰队，但是他并不突出，只不过是众多好手之中的一个。进入 1 月以后，他很高兴又可以做一个正常的学生了。他的学习成绩平均都在 B＋，这对从一个小小的寄宿学校出来的中等学生来说就已经非常不错了。再说，他决不会为了分数而牺牲所热爱的体育运动。

1922 年 5 月，埃里克和汤姆又一次在"跑得好"体育馆会合，开始一起训练。这位严格而又可爱的教练一分钟都不浪费，跑步、起跑、递接力棒、连续几小时严厉的按摩。

"真的希望我第一场比赛就是在这儿。"在一次格外艰苦的训练结束之后，埃里克把这个心愿告诉汤姆。事与愿违，他所参加的第一场比赛，即大学运动会季赛的第一场田径赛，将在格瑞哥劳克哈运动中心举行。让人不可思议的是，那里的草地跑道居然呈上坡的形状。

1922 年 5 月 27 日，埃里克又一次证明，他能在重要的比赛中发挥最佳的水平。在格瑞哥劳克哈运动中心的草地跑道上，埃里克不仅以 10.2 秒的成绩平了 100 码比赛的记录，而且还以 21.8 秒的成绩打破 220 码的苏格兰记录。更让田径迷们感到兴奋的是，埃里克还夺得中距离 440 码的冠军，成绩是 52.4 秒。作为短跑运动员，埃里克从未在重大比赛中参加过这个比赛项目。

在接下来一系列的夏季田径赛当中，他的成绩更加突出：6 月份苏格兰大专院校联赛运动会、"跑得好"体育馆的比赛、格拉斯哥的比赛，他都夺得冠军。时间飞逝，到了 9 月，詹姆斯和玛丽，还有洁妮和俄内斯特要回中国了。

中国在孙中山的领导下，近几年开始比较容易接纳基督教传教士，特别是来自英国和苏联的传教士们。《凡尔赛和平条约》[1] 签署以后，德国在山东的管辖权移交给了日本。这激发起了中国民族主义的情绪，全国上下开始抵制日货。同时中国开始转向西方国家，急迫

埃 里 克 · 利 进 尔
Eric Liddell

---

[1] 《凡尔赛和平条约》：Versailles Peace Conference

地要学习西方的哲学思想和技术。

然而在饱经忧患的中国，这时又孕育着一场即将到来的风暴。孙中山领导的国民党，对刚成立的苏联所取得的进步感到非常吃惊，开始在政府机构里接纳中国共产党人。

詹姆斯和玛丽得知将被重新委派到位于天津的法国传教基地。玛丽对于天津有着难以忘怀的回忆，洁妮还在天津找到了一份工作：一所英国小学里幼稚园的教师助理。

在埃里克帮他们捆扎行李的时候，心里觉得很难过：罗比一年之后就从医学院毕业，然后也要去中国和父母在一起。他从心里感觉到，他们再次见面的时间将会在很久以后。

洁妮觉察到埃里克低落的情绪，为了不让他搞得大家都不开心，就拉住他进了自己的房间。洁妮说："我想给你看看，这两年我要和什么东西住在一起。你看，床底下是些什么东西！"

埃里克从床底拖出一个大纸箱子，里面居然装满了他得到的那些奖品。埃里克一点儿都不知道，在妈妈的授意下，洁妮将埃里克从田径赛和橄榄球赛得到的每一件奖品都收藏了起来。除了埃里克的奖品，纸箱里还有金表、放蛋糕的高脚盘、钟表、整套的银餐具，居然还有花瓶！

埃里克躺在地上放声大笑起来。

"真不敢相信，你把它们都存了起来，为什么？"他上气不接下气地问到。

埃
里
克
·
利
迪
尔 | Eric Liddell

"像咱们这样的家庭是不用这些金表、银刀子、银叉子什么的。其他的传教士家庭也是这样。"洁妮一边说，一边也在笑。"但从现在开始，如果你再赢了，就知道把那些放蛋糕的高脚盘放在哪儿了！"

利迪尔一家在威沃雷火车站依依不舍，洒泪而别。埃里克和罗比又开始了没有家人同在的生活。但是，他们已经不是那两个在爱尔撒姆学院"受杖罚"①，既腼腆又无安全感的小男孩儿了。1922 年秋天，罗比仍在爱丁堡大学的医学院读书，哥俩决定再次搬到一起居住。稍有不同的是，他们这次是和另外 12 个学生一起居住在一所房子里。刚开始，埃里克觉得这个主意不太好。时间久了以后才发现，这里太像自己的家了！这所房子坐落在乔治广场②56 号，是拉可兰·泰勒③博士及其家族所创立和管理的爱丁堡医学院传教士招待所④。罗比和埃里克在这里生活得非常开心。其实，埃里克在那里居住了两年之久，直到他离开苏格兰到巴黎参加奥林匹克运动会。

罗比一直都比埃里克敢于表达自己的基督教信仰。那年冬天，作为格拉斯哥学生福音联盟⑤的成员，他参加了"何谓成年男人"的专题讲座，到不同的工业城镇去向那些苏格兰的男人传福音。这个组织是头一年由几个学生发起的，目的是希望效法在 19 世纪末德威特·

埃里克·利迪尔——Eric Liddell

---

① 受杖罚：指新生入学的"欢迎"活动。
② 乔治广场：George Square
③ 拉可兰·泰勒：Dr. Lachlan Taylor
④ 爱丁堡医学院传教士招待所：Edinburgh Medical Missionary Hostel
⑤ 格拉斯哥学生福音联盟：Glasgow Students' Evangelical Union（GSEU）

奥运金牌传奇人物埃里克·利迪尔

从"苏格兰飞人"到"潍县集中营囚犯"

L·慕迪①和亨利·朱芒德②的大复兴运动。他们十几个学生为一组，到不同的城镇去，住在当地愿意接待他们的人家中，然后进行三至五场公开的布道会。

然而，在这些学生们的运动中，好像欠缺了些什么。他们需要一位苏格兰家喻户晓的、能够打动广大听众的"知名"传道者。简而言之，一位有能力把整日出入于酒吧和娱乐场所的男人们拯救出来的领袖！

一位格拉斯哥的神学生大卫·P·汤姆逊③（简称D.P.）是罗比那一组的负责人。他率先提出埃里克的名字。虽然知道埃里克从未在大庭广众面前讲过话，但是人都有第一次的嘛。

于是，汤姆逊搭了一辆开往爱丁堡的运油便车，很容易地找到泰勒的招待所。由于罗比告诉过汤姆逊，他自己不能向埃里克直接提出这个请求，所以汤姆逊不得不毛遂自荐。当他见到埃里克的时候，不禁喉咙发紧：苏格兰所有的大报小报都刊登过埃里克的照片，同时他的名字也常和奥运会连在一起。汤姆逊张口结舌地向埃里克解释，请他做在苏格兰阿玛岱尔④举行的布道会的客座讲员，而听众则都是男人们。

"你能，哦，我是说，请问你能来讲几句话吗？就是讲你的信仰，我是说，还有，哦，当然还有你跑步……"

---

ootnote-like references:
① 德威特·L·慕迪：Dwight L. Moody
② 亨利·朱芒德：Henry Drummond
③ 大卫·P·汤姆逊：David P Thomson
④ 阿玛岱尔：Armadale

埃里克·利迪尔 Eric Liddell

　　埃里克的眼睛盯在地上沉思了一会儿，然后抬起头微笑着。这几年他经常想的，是去中国做个教自然科学的老师，而不是像父亲和哥哥那样做个雄辩的传道人。但此时此刻他感觉内心深处的平安，他知道这种平安只能来自圣灵。"好，"他缓缓地说，"我会去的。"

　　其实，就在汤姆逊来找埃里克之前，他刚刚收到洁妮从中国发来的一封信。洁妮在信中用经文鼓励他："你不要害怕，因为我与你同在；不要惊慌，因为我是你的神。（以塞亚书 41：10）爱你的，洁妮。"以前，他害怕在公众面前讲话甚过怕打联赛，而洁妮的信促使他终于站到了讲台上。

　　那个在阿玛岱儿的夜晚，也就是 1923 年 4 月 6 日，埃里克发现自己居然拥有从不知道的、来自神的恩赐。虽然他还算不得是个演说家，但是在场的 80 个男人都在认真地听从他口中所说的每一个字。这些人并不常常出去听什么讲座。在这个以工人阶层为主的小镇上，失业率很高，很多男人都把时间消遣在酒吧里，根本不会去教堂的。

　　埃里克慢慢地、平静地讲着，像是在和每一个人聊天。"你们想不想知道我所爱的那位神？我精疲力竭时，他给我力量；我不知道该讲什么的时候，他给我灵感。"

　　埃里克环顾着房间里的每一张面孔："如果你今天晚上接受耶稣，明天你就会体验到一种从来没有感受过的爱。"

　　第二天早上，苏格兰的每一家报纸都报道说，有名的短跑健将埃里克昨晚参加了福音布道大会。同一时

埃里克·利迪尔——Eric Liddell

刻，埃里克也感觉到心灵里从未有过的激荡。经过了那一晚，他很想和每一个愿意听的人分享神的大爱。当然，他要做的第一件事，就是给汤姆逊写一个便条，感谢他为他开了这扇门。

8天以后，埃里克又和汤姆逊一起去路瑟兰①，在复活节的灵命复兴大会上向800个学生致开幕词。一个星期以后，他成为格拉斯哥学生福音联盟的成员。在接下来的4年当中，埃里克跑遍整个英国参加布道大会，向成千上万的男男女女传福音。很多人起初是好奇心驱使来看明星，后来则是专程前来听他简朴的信心见证。

随着日益逼近的1923年田径季赛，似乎一切都要为奥运会作准备。埃里克已经成了到处奔跑的布道者。人们开始怀疑他是否还打算参加奥运会。再说，他只不过是苏格兰境内的一流短跑运动员，怎么能和世界之最的健将们竞争呢？苏格兰报纸的一则评论，为即将到来的田径季赛，公开提出这个问题：埃里克·利迪尔跑步只是为了神吗？

埃里克·利迪尔 Eric Liddell

① 路瑟兰：Rutherglen

第 五 章

1923 年~1924 年·英国

汤姆·麦可查厌恶地将报纸用力摔在桌上，心中暗想，如果下次让我再读到同样的文章，我就不再订这种报纸了！汤姆规定自己不接受任何采访。但是，他想，这些记者们根本不了解埃里克。埃里克将证明他们错了——在他的领域里，十分之一秒代表伟大，百分之一秒让人敬畏。

进入第三年的时候，在格罗克哈特运动中心举行的大学运动会上，埃里克跑出的成绩再次让人刮目相看。尽管贪吃泰勒太太美味的梅子布丁，让他觉得肠胃不太舒服，他还是赢得三个参赛项目的冠军。当他在 100 码比赛中跑出 10.1 秒的成绩时，全场观众欢声雷动。

6 月初，在格拉斯哥女王公园足球俱乐部①，位于较快跑道

埃里克 (1923)

埃里克·利进尔｜Eric Liddell

---

① 女王公园足球俱乐部：Queens Park Football Club

上的埃里克传奇般地在 10 秒里跑出 100 码的成绩。紧接着，为了迎接在格罗克哈特即将举行的，众人期盼已久的苏格兰大专院校联赛运动会，埃里克进行了连续两个星期的密集训练。事实证明，这样的辛苦决不徒劳。

以 10.1 秒夺得 100 码比赛冠军以后，他以 21.6 秒赢得 220 码比赛第一名。这项苏格兰记录一直保持到 1960 年才被打破。在同一场运动会上，他又以 50.2 秒在 440 码比赛中得胜，打败了一直主宰这项冠军席位的 J. G. 麦克科尔①，埃里克足足领先他 18 码。就连最喜欢批评埃里克的人都承认，如果是在细煤渣跑道上，他至少还能提高一秒钟。

夏季赛的最后一场，是在格拉斯哥的汉普登②公园举行的苏格兰锦标赛。在学生福音联盟的同学们的热烈欢呼加油中，埃里克赢得了 100 码和 200 码比赛的冠军。虽然他已经取得这样多的成就，但真正的大赛还在后面呢。

截止到 1923 年夏季，埃里克主要的比赛都在苏格兰境内举行。从国际标准来看，他跑出的成绩只是一般。现在为了去英格兰参加第一场比赛，他要开始加紧训练。有人甚至怀疑，不知道这一趟是否值得那张火车票的费用。他这种跑起来像风车一样的运动员，怎么可能在国际大赛里赢呢？

这场比赛定在 7 月 6 日和 7 日两天。英国业余运动员协会锦标赛③，这场公认是奥林匹克运动会前最重要

---

① J. G. 麦克科尔：J. G. McColl
② 汉普登：Hampden
③ 英国业余运动员协会锦标赛：British Amateur Athletic Association Championships

的比赛在伦敦的斯坦弗桥体育场①进行。人们翘首以待的两大明星：苏格兰飞人埃里克和最有希望代表英格兰参加奥运会的哈罗得·亚伯拉罕②，将进行决赛。

亚伯拉罕是剑桥大学③的学生，也是一位极有天赋的运动员，擅长跳远和短跑。虽然他在 1920 年参加了安特卫普奥运会，但在 100 米和 200 米的四分之一预选赛中被淘汰。现在他又得到一次竞争奥运会金牌的机会。他赢得金牌的动机和其他人不一样。他生长在英格兰的一个犹太人家庭，总是有生为犹太后裔被人歧视的感觉。如果我是世界上跑得最快的人，他想，就会得到和别人一样的公平看待和同样程度的尊敬。

可是埃里克可不这么想。他因为信仰的缘故，才不在乎别人怎样看他。这种场合对他来说，是再一次向人传扬神的爱的机会。所以他伸出手和每一个参赛的运动员握手问候，预祝成功。他对每个人如此彬彬有礼，从不使用庸俗的语言，也不出口下流的玩笑。当然，埃里克也想赢。如果亚伯拉罕想成为最佳运动员，就必须战胜埃里克。

1923 年 7 月 6 日，星期五，斯坦弗桥体育场里座无虚席。温度已经超过了华氏 90 度④，男人们不停地用手绢儿擦掉额头上的汗，女人们则拼命地摇动着手里的纸扇，尽管如此，所有观众的眼睛都在目不转睛地盯着跑道上的运动员们。

---

① 斯坦弗桥体育场：Stamford Bridge Stadium
② 哈罗得·亚伯拉罕：Harold Abrahams
③ 剑桥大学：Cambridge University
④ 华氏 90 度：相当于摄氏 32 度。

埃里克身高 5 英尺 9 寸①，是两人当中较矮的。他率先伸出手和高个子黑头发的哈罗德握手，然后回到各自的跑道上就位，准备进行 220 码的比赛。今天早些时候，埃里克以 22.4 秒的成绩在第一轮淘汰赛胜出。在两场预选赛中，每场胜出的前三名将进入第二轮比赛。他必须尽量改善自己起跑的状况，因为他的对手是以"闪电式起跑"而闻名的亚伯拉罕。

当埃里克在跑道上挖洞的时候，他环顾了一下其他的运动员。但是哈罗德却精神集中，始终盯在跑道线上。他低下头，暗自祷告，感谢神赐给他这样特殊的能力。

每一次比赛之前，埃里克的脑海里总是浮现出《圣经》里的一段经文。埃里克喜欢称这段经文为"七七七"。因为它来自《圣经·新约》的第七卷（哥林多前书）第七章和第七节："只是各人领受神的恩赐，一个是这样，一个是那样。"是啊，虽然神给他跑步的天赋，但并不等于将每场比赛的胜利白白地赏给他。

当裁判员走进场的时候，他开始将注意力集中放在跑道上：小心翼翼将脚尖放入起跑洞，绷紧腿上的肌肉，拱起后背——正如教练告诉他的一样，静静地等候着起跑的信号。

信号枪声响起的刹那间，亚伯拉罕如子弹出壳一般发射出去，眨眼就领先埃里克两码以外。而埃里克则一如既往，起跑的速度糟糕透了，他觉得好像所有观众的眼睛都在盯着他。他拼命甩动着胳膊，使劲儿往前追，

① 5 英尺 9 寸：1 英尺等于 0.3048 米。

一点儿，又一点儿，逐渐拉近和亚伯拉罕的距离。

观众席上，汤姆·麦克查几乎是屏住呼吸在看着，任凭脸上成串的汗珠往下淌。忽然，坐在旁边的一个红脸庞的苏格兰人上下蹦跳了起来，"快看！喂，把头抬起来跑，赢定了！"

好像埃里克听到了同胞的喊声，终于抬起头，向上看——一望无际的蓝天。当两个人冲向终点线的时候，他们沉重的喘息声彼此都可以清晰听见，谁都想尽量把胸膛挺得高些，这样可以更接近终点线。两人好像是并肩冲到终点，但是从比赛的录像来看，埃里克·利迪尔稍微超过哈罗德·亚伯拉罕一点儿。21.6 秒，速度之快让人惊叹！

到了星期六，谣言满天飞，说埃里克和哈罗德将在100 码的决赛中再度相遇：两人都在第一轮预选赛中胜出——埃里克：10.0 秒；哈罗德：10.2 秒。此时第二轮预赛即将开始。但是当埃里克以难以置信的速度——9.8 秒在 100 码短跑比赛中打破英国记录时，哈罗德却因未能进入前三名，被第二轮预赛淘汰出局。

那一天结束时，埃里克同时获得 220 码和 100 码比赛的冠军，被授予 1923 年度最佳运动员哈维杯奖。他在 100 码决赛中跑出 9.7 秒的成绩，又一次刷新英国记录（这项记录保持了 35 年之久）。埃里克的成绩对英国田径队进入奥林匹克运动会至关重要，因为这个记录与美国人查理·帕道克①所保持的世界记录仅差十分之一秒。

头戴两顶英国冠军冠冕的埃里克，成了记者们争相

埃里克·利迪尔 | Eric Liddell

---

① 查理·帕道克：Charley Paddock

追逐的对象。在返回苏格兰的火车上，汤姆给他看了一份报纸上的文章。"刚几个星期呀，我已经从丑小鸭变成小天鹅了。"埃里克开心地感叹着。

"或是说从黑绵羊变成了飞人。"汤姆开玩笑说，"他们甚至这样恭维你，你看这里，原文说：'苏格兰人要让帕道克收拾行李回老家。'还有'将温达姆·豪斯特①的精神发扬光大的人。'"

"让人钦佩的温达姆·豪斯特吗？"埃里克想起来他是谁，笑着说，"那是我老爸希望看到的事情。"

汤姆把报纸放在一旁，眼睛眺望着窗外。过了一会儿说："你知道，我们现在还没有把握进入奥林匹克比赛，要到几个星期之后在斯多克－昂－特伦特的比赛结束，才能见分晓。"汤姆转过身看了埃里克一眼，然后开玩笑地在他胳膊上打了一拳，"可是明年的夏天，看样子我们好像要在巴黎度过啦。"

埃里克摇摇头笑了。他伸手从帆布包里把《圣经》掏出来，打开已经磨损的皮面，翻到哥林多后书十章第十七节："但夸口的当指着主夸口。"随着窗外的田野渐渐模糊，他开始竭力地让自己的思绪变得有条理起来。

在斯多克－昂－特伦特的比赛上，尽管埃里克被人推出跑道，但还是竭尽全力赢得了胜利。伴随着这次胜利，他的知名度又提高了。哈罗德·亚伯拉罕并没有出现，他因为患上链锁状球菌感染而宣布弃权。即使这样，埃里克的胜利好像还是不可想像的。每当人问起埃

① Wyndham Halswelle：请参第二章。

里克，他精神上和肉体上的力量从何而来的时候，他通常千篇一律地说："我不喜欢被人打败。"

埃里克和麦克查教练（1923～1924）

他也不喜欢停止追求自己的目标。1923 年的秋天，他只打了几场橄榄球，其余的时间全部放在他在爱丁堡大学最后一年的学业当中。他计划明年 5 月拿到自然科学的学士学位，然后参加在巴黎举行的奥林匹克运动会，紧接着就回到天津。那时距离哥哥罗伯特·维克多·利迪尔医生回到天津的时间仅仅晚 6 个月。罗伯特已经开始在中国南方的福建省①当医生，用行医治病的方法来传福音。

---

① 原文 Fulien，应为 Fukien，即福建省。

埃里克·利迪尔｜Eric Liddell

埃里克父母的来信更坚定了他希望尽早回去的决心。他们告诉他，一位来自农民家庭的知识分子毛泽东，最近在中国成立了中国共产党，并且组织农民闹革命，以反对多年以来的极端贫困和恶劣的生活条件。伴随着政治的动荡，大自然也频繁给人带来洪水、旱灾和疾病的袭击。等我回去的时候，局势会是怎样的呢？埃里克思索着。

但是当爱丁堡的春天来到的时候，埃里克将要独自面对一个重大的危机。

很多天以来，汤姆·麦克查一直到爱丁堡大学体育系系主任办公室询问信件。有些非正式的消息说，近代奥林匹克运动会的创办人，国际奥委会主席，法国的皮埃尔·德·库拜廷男爵①准备在1月份公布田径比赛的赛程表。他心急如焚地想，这时候奥委会赛程表应该早就寄出来了。

以往夏季奥运会的赛事都会持续整个夏天，但是听说男爵将今年的比赛压缩在两个星期内举行。还听说7月14日是攻占巴士底狱纪念日②，是全国假日，将不会安排任何比赛。

听到一阵轻轻的叩门声，麦克查从椅子上蹦了起来。"麦克查先生，"体育系的秘书走进房间，打断了他的沉思，"我想这就是了。"她摇了摇手中看似一封官方的信件。麦克查接了过来急忙打开，目光一页一页地扫过里面的赛程安排表。真的是，他心情激动地想，100米赛程，第一轮预选赛时间……

---

① 皮埃尔·德·库拜廷男爵：Baron Pierre de Coubertin
② 攻占巴士底狱纪念日：Bastille Day

赛程表一张一张从他的手中掉了下来，又轻轻地滑落在地上。他把头埋在手里。过了一会儿，站起身来挣扎着往门口走去。"我出去一会儿。希望来得及追上埃里克。"

当他又转回身从地上捡起赛程表的时候，发现秘书正惊奇地看着他，急忙说："最好先别跟任何人提起，我们已经收到了赛程表的消息。"他口气严厉地告诫，"我们可不想让记者们整天跟在埃里克背后。起码现在还不是时候。"

埃里克此时正在乔治广场。几个小时以后，他要和D. P. 汤姆逊出席一个布道会，他想趁此机会作准备。自从埃里克被选入英国奥林匹克队以后，请他去讲道的机构有增无减。现在，几乎一个星期两至三次，每一次登台，他都更加有信心了。有时，他们租借的大厅根本容纳不下那么多来听的人，由此可见他的知名度越来越高。他不仅是著名的运动员，也是福音布道家，所以连宾州大学也邀请他去参加 4 月份举行的接力赛。

汤姆找到埃里克的时候，真不知道说什么好。埃里克倒没有什么，像以往一样咧开大嘴笑着，开始讲起他为神要进行的旅行。汤姆尽量集中精力听，但不久埃里克就发现他心不在焉。"发生什么事啦，汤姆？请不要介意我这样说，你是不是生病了？"埃里克问道，语气中充满了关心。

汤姆清了清喉咙："只不过，埃里克，我知道你会说什么——但是真希望我能让你改变主意。"

"老兄，赶快说呀！只有神知道人的心事。"埃里克边说边做着手势。

埃里克·利迪尔 Eric Liddell

"我今天收到奥委会寄来的比赛日程表。你是知道的，男爵要把所有的预选赛安排在两个星期里，所以……"

"所以什么呀，汤姆？"

"所以 100 米的预选赛被安排在星期日举行，埃里克。准确说是在 7 月 6 日举行。"

听到这个消息，埃里克毫不迟疑地说："我要弃权。"他没有眨眼睛，也没有拧搓双手，更没有在房间里踱步。不急也不躁，心里十分平静。

汤姆叹了一口气，转身眺望窗外。

"汤姆，你真的不明白我为什么不跑吗？神告诉摩西十条诫命，其中第四条是：当纪念安息日并守为圣日。如果我参加比赛只是使我或是另外什么人荣耀，我就是不守圣日。如果我忽略了神的一条诫命，我就有可能不遵守其他的诫命。我很爱主，不能这样做。"

麦克查点点头，埃里克从来不在星期日参加比赛，就算是奥林匹克运动会，他也不会因比赛而改变信仰。"下一步我会联系英国有关当局讨论此事。"他说，"但是埃里克，对那些要发生的事，你做好心理准备了吗？我是说，应付那些记者们？"

"神从来没说跟随他是容易的。"埃里克回答得很简单。

在接下来的几个星期里，麦克查和英国主管体育运动的官员们，想尽一切办法企图改变第一轮预赛的时间，但是法国的有关当局坚决不答应。于是，解决问题的方法是，将埃里克安排在 200 米和 400 米的赛程当中。虽然以前埃里克在这两项比赛中也赢过，但是很明显，他并没有完全的把握能够取得胜利。另外两场接力赛也

埃里克·利迪尔 | Eric Liddell

不用提了，因为预选赛也是安排在星期日。

从此以后，在长达几个星期里，英国报纸对他的攻击就没有停止过，有一份报纸这样宣称，他："不仅背叛了苏格兰体育界，而且背叛了温达姆·豪斯沃所为之奋斗的目标。"另一个记者报道说，"埃里克拒绝星期天跑步是因为想让自己更加出名。也不断地有人这样问，为什么他不能在星期日比赛，这样可以把荣耀归给神哪！"

遭到这样猛烈的攻击，埃里克很失望，但他永远不会动摇他的决心。当然，运动员采取这种立场，在历史上并不是第一次。1900 年的奥运会上，也是在巴黎，也是因为几场预赛被安排在星期天，有好几名运动员拒绝参加比赛。在 1908 年的伦敦奥运会上，一个来自美国的神学院学生佛瑞斯特·史密森①，为了抗议比赛被安排在星期天，他手拿《圣经》跑完 100 米比赛的全程。

一位来自英国的贵族的指责就更厉害了，他说：（运动员）"参加比赛是生命中的惟一至要。"埃里克早就下了决心，比赛当然要参加，但只是为了神的缘故。

冬去春来，麦克查和埃里克为了这两个比赛项目，越来越努力地训练。让他们感到欣慰的是，400 米的跑道上将会划上跑道线，这样就不会重现在斯多克－昂－特伦特发生的那一幕。参加奥运会的训练在埃里克的日程表上虽然居首位，但不是他惟一要做的事。爱丁堡的田径季赛又一次到来了，以大学运动会为首拉开帷幕。

在格罗克哈特运动中心，埃里克以 10.2 秒的成绩平了 100 码比赛的记录获得冠军；接着他夺得了 200 码

埃里克·利迪尔 | Eric Liddell

---

① 佛瑞斯特·史密森：Forrest Smithson

比赛的胜利；然后又平了 400 码的记录，成绩是 51.5 秒获得第一名。在格拉斯哥的汉普登公园，他将在格罗克哈特运动中心所取得的成绩又重演了一遍，获得三项比赛的冠军。奥运会之前，最重要的一场比赛将是在 6 月底的一个星期六。虽然埃里克成为奥运会英国队的成员已经不容置疑，但他还必须经过两场比赛才可以获得真正的入选资格。

6 月 21 日星期五的晚上，三个半小时里，埃里克在 220 码和 440 码的两轮预赛中胜出。星期六，在这两场的决赛中，他面对着真正的世界级的选手。结果，他在 220 码比赛中夺得第二名，第一名是南非的运动员肯斯曼[①]；在 440 码比赛中他以 49.6 秒荣获冠军。值得一提的是，这个 440 码比赛成绩非常重要。首先，埃里克的成绩比当时的奥运会 400 米的记录还要好（因为 400 米要比 440 码短一大截）；其次，这样的成绩让敬佩温达姆·豪斯沃的苏格兰人，开始对埃里克也产生钦佩之情，因为比起这位著名短跑运动员创下的英国和苏格兰的记录，埃里克的成绩只慢一秒钟。

离奥林匹克运动会不到一个月的时间了，英国代表团终于尘埃落定。埃里克坚决不为比赛而违背信仰，这可能会影响英国得金牌的总的数量。当埃里克整装待发，奔赴巴黎的时候，他在神的话中又一次得到安慰，特别是在这一段经节当中："……凡信他的人必不至于羞愧。"（罗马书 10：11）

在埃里克的心中，神比奥林匹克的金牌更重要。

① 肯斯曼：A. O. Kinsman

埃里克·利迪尔 | Eric Liddell

第 六 章

1924 年·法国·巴黎

世界上从未有任何一项运动像奥林匹克①运动会一样，催逼运动员进行艰苦的训练。原因之一，也许是奥林匹克运动会的传统不同于其他运动会。它的历史可追溯到公元前 776 年。

从公元前 776 年直到公元后 394 年，每隔 4 年的夏季，奥林匹克运动会都在希腊的"奥林匹亚"②镇举行。当时称作"奥林匹亚③"赛，是古希腊 4 个全国性节日庆典运动会中最出名的一个。其他的是伊斯米亚运动会④、披斯亚运动会⑤和尼米亚⑥运动会。只有希腊的贵族子弟才被允许参加奥林匹亚运动会。

与其说奥林匹亚是个城镇，不如说是个祭奠之殿。因为那里所有的建筑完全都是为了供奉希腊的诸神而建造，多姿多彩就像一所博物馆。在这个古老的地方，也聚集了许多希腊的珍品，包括纪念碑、雕塑和歌剧院。

①　奥林匹克 Olympics
②　奥林匹亚：Olympia
③　奥林匹亚：Olympiad，希腊语是 4 年一次的意思。
④　伊斯米亚运动会：Isthmian
⑤　披斯亚运动会：Pythian
⑥　尼米亚：Memean

其中最有名的建筑或是说寺庙，是宙斯庙，是献给宙斯这位希腊众神之父的。奥林匹克运动会就是在宙斯庙进行的。

那些最古老的仪式已经失传。据说，古奥林匹克运动会的开幕式，是向希腊诸神献祭。然后，参赛者站立在用象牙和黄金雕刻的宙斯像前，宣誓本着诚实和公正的精神进行比赛。

第二天开始，进行与"脚"有关的竞赛。这种比赛可以在体育馆 stadion[①] 里进行观看。Stadion 是一种椭圆形的地方，即是现代体育场（statium）的前身。第三天进行摔跤格斗和拳击 pancradium[②]（即是把二者合而为一的竞赛）。第三天是赛马，第四天五项全能运动比赛。五项全能要求运动员进行短跑、跳远、标枪、铁饼和摔跤 5 个项目的系列比赛。

最后一天是奥运会的闭幕式，以两个身着盔甲的男人赛跑作为结束。优胜者们来到宙斯庙，由大祭司授予他们橄榄枝花环，并亲自把它戴在优胜者们头上。接着，有人献上庆祝胜利的赞美诗歌，然后由朋友们把他们扛在肩头送回故乡。从此，他们将一生享受皇帝般的待遇，或者说他可以随便要任何东西而不用付钱。

奥林匹克运动会如此进行了一千多年。后来，出于未知的原因，罗马皇帝狄奥多西一世[③]废止了奥运会。一直到 19 世纪末期，一些人开始对古希腊产生兴趣。

---

① Stadion：Stadium，希腊语体育馆的意思。

② Pancradium：一种糅合拳击和摔跤的古代希腊竞技。

③ 狄奥多西一世：Theodosius I

法国教育家、体育爱好者皮埃尔·德·库拜廷男爵[1]（1883 年）决定复兴奥林匹克运动会，并希望把它扩大到世界范围。为了激励人们对这种精彩运动的兴趣，他非常喜欢到处讲述这样的故事：一个名叫菲利彼斯[2]的希腊勇士，为了把得胜的消息传遍波斯[3]，他身穿全副盔甲，从马拉松河谷[4]跑到雅典城[5]。到达目的地时他几乎要气竭身亡，临终之际他大声高呼："欢呼吧，我们胜利了！"这个故事是否真实已经无从考证，但是不管是希腊的罗曼蒂克还是神话中英勇的故事，都足以唤起世界大众对奥运会的支持。

1896 年，奥运会重新在雅典举行。从此以后，除了在第一次和第二次世界大战期间暂停以外，奥运会在不同的地方，每 4 年举办一次。自 1912 年，开始允许女性参加比赛，但是直到 1928 年的夏季奥运会，才让女性参加田径比赛。设立于 1928 年的冬季奥运会，起初和夏季奥运会一样，在同一年举行。后来，直到 1994 年才改成与夏季奥运会相差两年，也是为期 4 年举行一次。

特别值得一提的是 1896 年 4 月举办的第一届奥运会。雅典城和皮埃尔·德·库拜廷发生了争执。雅典人借着奥林匹克运动会的历史根源，想成为永久的东道主国家。但库拜廷非常坚定地拒绝了，理由是竞技需要来自国际上的支持。为了表示抗议，雅典于 1906 年举办

---

[1] 皮埃尔·德·库拜廷男爵：Baron Pierre de Coubertin

[2] 菲利彼斯：Pheidippides

[3] 波斯：Persians

[4] 马拉松河谷：Marathon

[5] 雅典城：Athens

了自己所谓的奥林匹克运动会，来庆祝奥运会 10 周年纪念日。这届奥运会在历史上称作"夹心奥运会"，国际奥委会并没有抵制。无巧不成书的是，正是在这一届运动会上，温达姆·豪斯沃成为历史上第一位在田径赛中拿到银牌的苏格兰人，给苏格兰留下了无限兴奋的回忆。

1924 年第 8 届现代奥运会，声称是当时历史上最大阵容的运动会。从参与国家和运动员的数量来看，这并不是夸口。44 个国家派出了 3000 多名运动员参加在巴黎的盛会，其中包括最大的代表团，美国派出的 400 名运动员；最小的代表团，中国派出的 2 名运动员。

在巴黎再次举办奥运会，让"奥运之父"皮埃尔·德·库拜廷感到非常兴奋和激动。他亲自为奥运年选择了特殊的格言（其实源于法国足球队的口号）："更快、更高、更强！"[1] 具有讽刺意义的是，这句话的原文来自拉丁文，而不是希腊文。

谁将成为最强，谁将跳得最高，谁将跑得最快？

在 1924 年奥运会上竞争的好手，除了埃里克·利迪尔和哈罗得·亚伯拉罕以外，还有"芬兰飞人"帕沃·努米[2]和长跑运动员维·里托拉[3]；来自纽约的格楚德·埃得勒[4]（游泳运动员）和后来成为影片《人猿泰山》主角的约翰尼·威斯穆勒[5]（游泳运动员）；杜克

---

① 更快、更高、更强！：Citius, Altius, Fortius！：Faster, Higher, Stronger! 这句口号被接纳成为奥运会的格言。

② 帕沃·努米：Paava Nurmi

③ 维·里托拉：Ville Ritola

④ 格楚德·埃得勒：Gertrude Ederle

⑤ 约翰尼·威斯穆勒：Johnny Weissmuller

·卡哈纳姆库①（游泳运动员）；电影明星格瑞思·凯利②的父亲，杰克·凯利③（划艇运动员）；以及著名的儿科医生本杰明·斯博科④（划艇运动员）。

7月的第一个星期，英国奥林匹克代表团乘搭普通的蒸汽轮船，经过英吉利海峡到达法国。他们的到来与庞大的美国代表团到达的景象简直无法相比：那些和美国海军没有瓜葛的运动员乘坐豪华的远洋客轮美利坚号，而那些与美国海军沾边的运动员皆坐着美国战舰乘风破浪抵达。美利坚号还特意铺设了 200 米长的软木跑道，为这些跨过大西洋的运动员练习使用。而英国队几乎所有的运动员都是在校的大学生。他们要自己支付这次旅行的费用。当然，英国政府也破天荒地为几位运动员提供了补贴。

即使这样，没人能够忽略英国即将捧回的奥运会奖牌的数量。

1924 年 7 月 5 日，星期六。埃里克凝视着街头商店橱窗里自己的影子，心中想：一切从今天开始了。橱窗里同时也映出奥运会英国代表团所有成员的身影：他们和埃里克一样，都下穿乳白色的裙子或裤子，上着蓝色便装，头戴白色的草帽。他们在等待出发的信号，准备游行经过法国著名的香榭丽舍⑤大道，进入奥林匹克主运动场：闻名巴黎的哥伦布运动场⑥。

---

① 杜克·卡哈纳姆库：Duke Kahanamoku
② 格瑞思·凯利：Grace Kelly
③ 杰克·凯利：Jack Kelly Sr.
④ 本杰明·斯博科：Dr. Benjamin Spock
⑤ 香榭丽舍：Champs－Elysees
⑥ 哥伦布运动场：Stade Colombes

埃里克从外衣的口袋里掏出手帕，擦掉脸上的汗水。这时巴黎的温度已经高达华氏 90 度①，据说今天的温度将高达华氏 110 度②呢。

该出发了！埃里克回到了队伍里，身旁是道格拉斯·罗卫③，他在巴黎的室友，也是看好 800 米赛跑比赛的候选人，前面是哈罗得·亚伯拉罕。这次他被选为英国奥林匹克代表团田径队的队长。亚伯拉罕比任何人都了解，埃里克为什么不愿意在星期日参加比赛。如同希望别人尊重他的犹太信仰一样，他也尊重埃里克能够坚持这样勇敢的立场。

经过凯旋门④的时候，游行的队伍稍停了一下，英国的威尔士王子（即后来的英国国王爱德华八世）在无名将士墓⑤前献花环。

进入奥运会主会场大门的时候，埃里克觉得他的心开始震动起来：容纳 60000 名观众的体育场座无虚席，波涛般的掌声震翻天。以南非的运动员为首，来自一个国家接着一个国家的运动员，在各自的国歌伴奏和国旗引导下，按顺序穿过"马拉松之门"，进入到体育场。

在埃里克和英国队进入场地之前，英女王的喀麦隆高地步兵团⑥，用风琴和军鼓开始奏出悲壮的《森之花⑦》的曲子。虽然身穿苏格兰方格呢短裙，头戴熊皮

---

① 华氏 90 度：约相当于摄氏 32 度。
② 华氏 110 度：约相当于摄氏 43 度。
③ 道格拉斯·罗卫：Douglas Lowe
④ 凯旋门：the Arc de Triomphe
⑤ 无名将士墓：是为纪念法国在第一次世界大战中阵亡的将士所修建。
⑥ 英女王的喀麦隆高地步兵团：The Queen's Highlanders
⑦ 森之花：The Flowers of the Forest

帽子的高地步兵团，对埃里克来说有着特殊的意义，但是他真希望他们所演奏的悲哀之曲，不要成为未来几天比赛的预兆。他知道，不参加 100 米比赛的决定已经得罪了苏格兰人。但是他还是准备参加两项比赛的哟……

全部代表团进入场地以后，皮埃尔·德·库拜廷开始致开幕词。然后，法国军乐团奏起法国国歌《马赛进行曲》，绘有五个彩环的奥运会会旗在炮声中冉冉升起。第 8 届奥运会正式开始了。

1924 年 7 月 6 日。当哈罗得·亚伯拉罕开始在细煤渣跑道上挖起跑洞的时候，在另一个地方，巴黎苏格兰长老会教堂里，埃里克迈步走上讲台。100 米短距离赛跑，被公认为是对世界上跑得最快的人的测试。虽然美国的世界记录保持者，查理·帕道克和他的队友杰克森·斯库兹[①]夺魁呼声最高，来自新西兰的选手阿特·泊瑞特[②]也非等闲之辈，而英国的希望就完全落在亚伯拉罕的肩上。

下午，埃里克从教堂回到下榻的旅馆。精疲力竭的哈罗得从撒姆·姆撒比尼[③]教练的口中得知，他已经顺利通过两轮预赛。撒姆·姆撒比尼教练也像他的学生一样，是一位传奇式的人物。经他训练出来的运动员，有1912 年斯德格尔摩奥运会 200 米短跑铜牌获得者威雷·阿波伽斯[④]；1920 年安特卫普奥运会 200 米短跑铜牌获

埃里克·利迪尔
——Eric Liddell

---

① 杰克森·斯库兹：Jackson Scholz
② 阿特·泊瑞特：Art Porritt
③ 撒姆·姆撒比尼：Sam Mussabini
④ 威雷·阿波伽斯：Willie Applegarth

得者哈里·爱德华①。而这届奥运会的哈罗得已经从初赛和复赛中胜出，准备在星期一进入决赛。

1924 年 7 月 7 日，星期一。埃里克来到奥林匹克体育馆，对周围注视他的目光尽量视而不见，找到一个座位坐了下来。今天他没有比赛，对于这件事大报、小报全都长篇大论地报道过。他来这里却是为了观看比赛，要为一位参赛者——高大强壮的亚伯拉罕——欢呼加油。

4 位来自美国的选手全部进入决赛，包括众人看好的帕道克和来自密苏里大学的斯库兹。帕道克是 1920 年安特卫普奥运会记录的保持者，他的速度是10.8秒。

埃里克眯起眼睛，用手搭在额头，好看得更清楚。他想，亚伯拉罕还是那么一如既往的镇定。接着，他就和观众一起大声喊起加油来，直到裁判员举起手中的信号枪。

随着枪声响起，所有参赛者轰然涌出起跑线。亚伯拉罕的身后，紧紧跟着的斯库兹几乎要踩到他的脚跟。他奋力保持领先的地位，并且第一个冲过终点线。他不仅跑出自己有史以来最佳的成绩，而且刷新了奥运会的记录。他以 10.6 秒的成绩获得金牌。新西兰的泊瑞特仅以一线之差，领先美国的彻斯特·保曼②获得铜牌。

埃里克在看台上欢呼跳跃着，比在场的任何人都高兴。他内心深处知道，这是神的计划。作为基督徒，他用这种（拒绝的）方式来荣耀神，而亚伯拉罕则用另外一种方法，展现出神给他的才能。亚伯拉罕是英国历史

① 哈里·爱德华：Harry Edward
② 彻斯特·保曼：Chester Bowman

上第一位赢得奥运会金牌的田径选手。他所创下的奥运记录一直到 1980 年的奥运会上才被人打破。从此以后，他的一生都在品尝这胜利的滋味。在他 1978 年去世之前，每一年的 7 月 7 日 7 点整——就是 1924 年奥运会 100 米决赛的时刻，他都和太太，还有阿特·泊瑞特和太太，坐在一起共享纪念晚餐。

1924 年 7 月 8 日，星期二。汤姆·麦克查和埃里克一起乘坐出租车，前往奥林匹克体育场。一路上他们谁也没说话。汤姆想，就是今天，埃里克将向所有报纸记者们，证明他们错了。埃里克面向敞开的车窗，也在想，今天是跑"我的比赛"的时候了。

他们一同走在细煤渣跑道上勘察赛场。麦克查摇摇头，抱怨着："看上去很糟糕，埃里克。好像刚刚加铺了新的细煤渣，跑道压得还不怎么结实，会影响速度啊。"

"更别提这样的高温天气了！我现在才明白，为什么我的先祖会定居在苏格兰。"他更没好气地说。埃里克柔声回答："汤姆，请别这样认真。参加这个比赛——这才是我跑步的原因。"

汤姆还是摇着头，回到观众台的位置上。埃里克已经加入参赛者的行列中，等待着即将开始的 200 米短跑第一轮预赛。果然，后来证明两个人的判断都正确。所有一流参赛者的速度都比他们原有的速度稍慢，但是包括亚伯拉罕在内，他们全部顺利通过预赛。下一幕将是在星期三上场的 200 米短跑半决赛和决赛。

1924 年 7 月 9 日，星期三。当温度攀升到摄氏 32 度的时候，埃里克找到了将要进行第二轮比赛的跑道。

埃里克·利迪尔

Eric Liddell

73

在 200 米短跑比赛时，参赛者需要拐弯，正好跑过椭圆形跑道的一半。

埃里克知道，复赛和决赛（如果他能顺利进入的话）一样困难重重。在他的左手边，站立着美国著名的选手查理·帕道克。帕道克在 100 米赛跑中仅获第四名，很清楚他一定在摩拳擦掌，要报仇血耻。亚伯拉罕已经完成了今天第一场的半决赛，勉强以第三名进入决赛。埃里克向站在边道的朋友挥了挥手，他知道，决不能让亚伯拉罕孤身一人代表英国队进入决赛。

起跑的枪声响了，帕道克一跃而上，冲在埃里克前面。埃里克挥动着臂膀，几步之后，他们就拉平了，肩并肩地奔跑，直达终点。从冲刺的录像带上，帕道克仅以擦边的距离，领先埃里克。成绩是 21.8 秒，比埃里克快 0.1 秒取得决赛权。当然埃里克也进入决赛，但是他还能再跑得这么快吗？

虽然 200 米的决赛在下午举行，半决赛后不久，每个运动员在跑道上的位置已经公布出来。亚伯拉罕位于第二线，就是靠里线的第二条；斯库兹在第四线；埃里克第五线；帕道克位于最外面的第六线。总的来说，所有六位选手都进入了决赛。

比赛开始的时候，埃里克有些担心自己的体力，可能拿不到前三名。帕道克起跑迅速，紧接着跑在后面的是斯库兹，亚伯拉罕比埃里克稍慢一些。炎热让埃里克觉得体力渐渐有些不支。他默念着麦克查的告诫：把膝盖提高，再提高，胸膛竭力向前挺出。到终点线了，埃里克仅以边际之差，获得第三名的铜牌。

埃里克成为苏格兰在奥运会历史上，第一位获得

200 米奖牌的运动员，同时也是自 1906 年著名的温达姆·豪斯沃之后，第一位得到奥运会奖项的运动员。这时，各样的报纸也立刻改变态度，开始对埃里克友好起来。《苏格兰人（Scotsman）》刊登了一篇题为《激动人心的奥林匹克决赛》的文章，报道说："像往常一样，埃里克未能成功起跑，但是却以精彩的冲刺结束比赛。"

埃里克与麦克查和亚伯拉罕相互拥抱了一下，就赶快穿过人群，走下楼梯，来到体育场看台下面的更衣室。不以胜利者的姿态环跑赛场一周，没有挥舞国旗扬威，没有举拳欢呼胜利。这些都不是埃里克的风格。

明天他还要回到这细煤渣跑道上。虽然他不是被所有人看好的热门人物，但是他要证明在 400 米比赛中与人较量的能力。

埃里克·利进尔
——
Eric Liddell

第 七 章

1924 年·法国·巴黎

7月11日，星期五。在当代旅馆的外面，埃里克来回地走着，等待着麦克查还有另外的几位英国队队员，一起同车到达体育馆。从上个星期四的预赛开始，他觉得似乎身上每一块肌肉都在酸痛。这几天的比赛加起来比他以前在一个月里跑过的还多。

这时候，埃里克看到一张熟悉的脸，向他奔跑过来。那是英国队专为参加奥运会的运动员聘请的按摩治疗师。他偶尔帮助麦克查为埃里克进行按摩。埃里克伸出手拍了拍老人的背。但是这位按摩师只寥寥数语，递给他一张叠起来的小纸条。然后像来时一样，飞快地不见了。

"谢谢你，到了体育场我再看！"埃里克喊着，觉得有些奇怪，为什么这个人连说话的时间都没有。埃里克耸了耸肩膀，将纸条装进口袋里。看到麦克查和其他运动员走过来，就互相打着招呼，把这件事忘掉了。

大家好像心照不宣，不再谈论星期四的几场预赛。埃里克以50.2秒在第一轮预赛中胜出，而在第二轮预赛中，落在荷兰选手阿尊·保伦①之后居第二名。如果想拿奖牌，他必须整体提高至少一秒钟才行。看起来，要想在400米比赛的每一轮获得出线权，都需要运动员把自己的成绩提高一大截。

星期五下午，半决赛也就是第三轮淘汰赛之后，有6位运动员晋升到400米的决赛当中。决赛的时间定于当晚的6点30分。选手中包括两位来自美国的著名选手侯瑞提·芬驰②和 J．C．泰勒③；瑞士选手约瑟·尹巴④和加拿大选手 D．M 约翰逊⑤。在安特卫普奥运会上的银牌得奖者，英国的盖·包勒⑥也在名单选手之列。但是他的腿受了伤，大腿上缠裹着绷带，很难用传统下蹲的姿势，在起跑线上做出预备的动作。

再一个就是埃里克。他被安排在第六线，也就是可怕的最外线上。

埃里克扑通一下坐在更衣室的椅子上，感觉到从未有过的疲乏。两个小时之内，我就要参加"跑我人生的比赛"了。他想着，感到心里升起一种莫名其妙的绝望。他把手放入上衣口袋，摸到几个小时之前收到的那张纸条。他急忙把揉成一团的纸条打开，迅速地看了看上面的内容。然后他低下头，轻声说："感谢主。"

原来在那张纸条上工整地写着："《圣经·旧约》里这么说：'尊重我的，我必看重他。'预祝你成功。"这

---

① 阿尊·保伦：Adrian Paulen
② 侯瑞提·芬驰：Horatio Fitch
③ J．C．泰勒：Taylor
④ 约瑟·尹巴：Joseph·Imbach
⑤ D．M 约翰逊：Johnson
⑥ 盖·包勒：Guy·Butler

埃里克·利迪尔——Eric Liddell

段经文来自撒母耳记上第二章第三十节，是一段埃里克最喜欢的经文。是啊，尽管他并非完人，但他所做的永远是为了荣耀神。当时，可能所有人都在想，他正期待着神来帮他完成那天晚上 400 米决赛的时候，他知道神早已经在多方面祝福他了。

将近 6 点 30 分的时候，埃里克系好跑鞋上的带子，缓步迈上台阶，走向熟悉的细煤渣跑道。当运动员们、特别是美国运动员芬驰和泰勒出现的时候，看台上响起震耳欲聋的欢呼声。埃里克四周环顾着，眼前到处飞舞着美国星条旗。

埃里克用胳膊肘碰了碰旁边的盖·包勒，开玩笑说："是不是有人忘记告诉他们，那两个英国崽还没出局呢！"盖·包勒勉强挤出一副笑容："你瞧我，埃里克。他们一定晓得，不管我多么努力，用一条腿是不可能赢的。还有啊，这是'芬驰'之赛！他一定会努力超过他自己创下的记录的！"原来就在那天下午的半决赛中，芬驰以 47.8 秒的成绩刷新了奥运会的记录。

当身穿白色长外套的裁判员走到跑道的拐弯处时，正在进行热身的运动员们渐渐停了下来。忽然间，响彻云霄的风笛和击鼓声从马拉松门的（体育场的正式入口）外面传了进来。英国女王的喀麦隆高地步兵团正向体育场走来。他们不顾场内奥运官员们的阻止，进入会场，并且开始在跑道上绕场行进！他们身穿全套的服装——苏格兰式方格呢短裙和熊皮高帽，一边行进，一边演奏着传统的苏格兰战歌《坎贝尔人①来了》。

埃里克·利迪尔
Eric Liddell

① 坎贝尔人：The Campbells Are Coming 是苏格兰最大的民族，素有英勇好战之称。

埃里克和盖几乎不敢相信他们的眼睛和耳朵：刹时间他们被英国的米字旗包围了。英国的啦啦队也开始蹦跳欢呼着，直到悠扬的风笛声逐渐消逝在夜空之上。

紧接着的几分钟，埃里克像往常一样，同其他运动员们一一握手，祝愿他们成功。虽然喀麦隆高地步兵团的出现，推迟了他这个习惯动作，但他是永远不会忘掉的。实际上经过了这么多场比赛，其他的运动员都等待着他的问候呢。让他们感到惊讶的是，这个人的祝愿好像是发自内心的。

裁判员清了清嗓子，伸起胳膊，将手中的信号枪举向天空。所有的运动员都伏身下蹲，各就各位，惟有盖·包勒还是站着的姿势。埃里克双眼盯着前方第一个拐弯处。知道自己该怎么做。只有一种方法才能赢这场比赛，只有神才能帮他成功。

看台上，麦克查紧紧抓着手中的跑表。信号枪响起的时候，他急忙按下计时器，眼睛急切地望着跑道。忽然他惊讶地张开嘴巴，埃里克一马当先冲过第一个弯道，将其他运动员甩出足足三米开外！麦克查眨了眨眼睛接着看，更不可思议的是，拖着伤腿，脸上带着痛苦表情的盖·包勒，居然跑在第二位。

当他们跑完一半的时候，麦克查卡住跑表，埃里克的速度是22.2秒。照这样的速度，埃里克能够赢得任何一场200米的比赛。但是正常的运动员都不会在400米赛中采用这种速度，因为到后半场的时候，他根本没有多余的能量冲刺终点。这时候，这位经验丰富的教练看到他所担心的事情发生了：侯瑞提·芬驰刚刚超过盖·包勒，前后挥动着拳头直逼埃里克。

埃里克·利进尔 ┃ Eric Liddell

稍远一些的地方，泰勒和尹巴为了急于更换跑道，都被磕绊，所以，远远落在约翰逊、包勒、芬驰和埃里克的后面。而埃里克现在勉强保持第一名的位置。

现在已经剩下最后的一段了，麦克查顾不得是否难为情，也学着埃里克，上下挥动他自己的双拳。看哪，他来了！脸朝天空，双臂如风车般飞快转动，双膝高抬，几乎碰到胸腔——终点在望了！好像感觉到后面紧追不舍的芬驰，埃里克加快速度，和他逐渐拉开距离。

埃里克在 1924 年巴黎奥运会上的 400 米冲刺

在 1924 年奥运会 400 米比赛中，苏格兰的埃里克是第一个冲到终点的运动员。他的成绩是 47.6 秒，创下世界记录！他比侯瑞提·芬驰领先足有 5 米，而勇敢的盖·包勒也取得了第三名的好成绩。

埃里克用手撑在腰间，缓缓停了下来。他已经用尽最后的力气。几分种后，他慢慢地转过身，走到侯瑞提·芬驰的旁边，和他握手祝贺，然后走近瘫在地上的盖·包勒，也和他握手祝贺。

当乐队奏起英国国歌《上帝保佑女王》的时候，麦克查跑向埃里克，伸出双臂，用压过众人欢呼的声音大喊着："你赢了还不算，竟然破了世界记录！"

埃里克转身面向观众，简短地挥了挥手。在他冲到终点线的一刹那，他所看到的不是终点线，而是许许多多迎风飞舞的米字旗。现在，他终于可以为祖国捧回一面金牌——第一面由苏格兰人得到的金牌。他所为之骄傲的不是自己，而是他的国家。

第二天，埃里克在旅馆忙着预备讲义。星期日他还要到苏格兰教会讲道。比赛刚一结束，他就尽可能不引人注目地离开体育场，回到居住的旅馆开始写讲义。他不想对太多记者发表讲话。而且在当时 1924 年的奥运会上，还没有颁发奖牌的仪式，所以也看不到前三名得奖者站在装饰华丽的颁奖台上，听到乐队奏起国歌泪流满面的那一时刻。那时候，在奥运会结束几个星期以后，奥委会才把金牌、银牌和铜牌通过邮局，寄给获奖的运动员。

听到有人敲门的声音，埃里克放下了手中的笔。"汤姆，我猜一定是你。"他向朋友问候着。

麦克查手里拿着一堆报纸，脸上挂着灿烂的笑容："一点儿没错，你已经是正式的苏格兰英雄了！"

埃里克打着趣儿，把麦克查往门外推："我已经听够了，汤姆。他们说我是第二个温达姆·豪斯沃，这还不够烦人的吗？"

"那是够烦的。可现在，他们说你是罗布·罗伊和

埃
里
克
·
利
进
尔
——Eric Liddell

81

威廉·沃雷①合而为一的民族英雄。快听这一段，"他继续说着，拿起来自伦敦的报纸，开始读上面的一段，"他已经不再是祖国的叛徒，他永远是最伟大的400米选手！"

麦克查又拿起一份《苏格兰人》，将上面的一段赞美之辞念给这位奥运英雄："奥运史上最伟大的成就属于来自苏格兰的埃里克，"他语气庄重地念着，"'利迪尔达到了田径生涯辉煌的顶峰，却仍然谦虚不矫揉造作，这样的世界英雄无人可比。'坐下，我还没念完呢！"埃里克在地上来回有规律的踱步分散了麦克查的注意力。

"最好的一段在这里——来自明星哈罗得·亚伯拉罕的评论。他是这么说的'人们可能为他跑步的姿势嘲笑不已。好啊，就让他们笑吧，反正他得到了冠军。'"念到这里，两个人都止不住大笑起来。

"说得不错呀，汤姆。我也得想出一段合适的话送给他。"

麦克查清了清喉咙，擦着眼睛："好啊，让我再来念一段，苏格兰飞人自己的感想。"

埃里克大声抗议着。他之所以不愿意向记者们发表任何讲话，是因为怕他会带出任何骄傲的语气。但是，他也非常想和人分享他的信仰。这是他来巴黎的根本目的。"'我赢得400米比赛的秘密'，利迪尔先生解释说：'是我全力以赴地跑出第一个200米，而在第二个200米中，靠着神的帮助，我更加努力。'这听上去才像个

---

① 罗布·罗伊和威廉·沃雷：Rob·Roy 和 William·Wallace 两位都是苏格兰的民族英雄。

真正的英雄呢，如果你这样问我的话。"麦克查补充说。

几天之后，英国奥林匹克代表团越过英吉利海峡，从法国回到英国。他们乘火车前往伦敦的维多利亚火车站。埃里克一下火车，就被喧嚷的欢迎队伍包围了起来。来自苏格兰的同胞们将他扛在肩上，簇拥着他进入游行的队伍，直到开往爱丁堡的火车上。在爱丁堡的维沃雷火车站，人们把这个返回故乡的苏格兰儿子，再次扛在肩上，游行庆祝。

在 1924 年奥运会上，埃里克确实做到了奥运的格言"更高，更快，更强"。不但如此，他做到的更多。他跑过了当跑的这场比赛，而且获得崇高的奖赏。现在，神要他开始另外一场伟大的、看不见奖牌的、听不到掌声的比赛。

埃里克·利迪尔

Eric Liddell

第 八 章

1924 年～1925 年·苏格兰·爱丁堡

埃里克的家人没有一个出现在巴黎奥运体育场，也没有一个出席他的毕业典礼仪式。虽然他们的缺席让埃里克稍感遗憾，但是到场的贵族名流、大学同学和教授，还有苏格兰人等完全弥补了他的遗憾。1924 年 7 月 17 日，到了埃里克从爱丁堡大学毕业的日子。那个事先计划好的毕业典礼为他带来了莫大的惊喜，可以与任何古希腊人欢迎奥运凯旋归来的选手相媲美。

爱丁堡大学麦宜文大厅①挤满了前来参加毕业典礼的人。大家都竭尽全力，想找到一个可以看清楚主席台的位置。那时候既没有扩音器，也没有复杂的音响设备，所以大家都尽力保持安静，不想错过主持人念出的每一个字。一个又一个，毕业生的名字被叫了出来，一个又一个，毕业生们接过来之不易的毕业证书。终于，大家听到了等待已久的名字。

"理科学士，埃里克·亨利·利迪尔先生，"主持人宣布。当埃里克登上主席台的时候，全场起立，为他们的英雄大声鼓掌欢呼。这种群情激昂的场面维持了几分

---

① 麦宜文大厅：McEwan Hall

钟，直到副校长阿尔弗瑞德·伊文爵士①示意，大家才安静下来。

"利迪尔先生，"阿尔弗瑞德爵士开始为埃里克致词，"你已经向人充分证明，没有任何人能超过你，当然除了考官以外！"听到副校长幽默惊人的双关语，全场再次爆发出笑声欢呼声。阿尔弗瑞德爵士再次示意大家安静，"在古奥林匹克运动会上，宙斯庙的大祭司为胜利者戴上野橄榄枝花冠，然后有人再为他献上一首诗。我这个副校长虽然不是大祭司，但我所言所行都代表着为你感到自豪的学校，因你为它带来了新的荣誉。所以请允许我代表学校向你呈献一首由玛耳②教授编写和朗诵的一首短诗，也为你戴上这顶野橄榄花冠。"

苏格兰并不生长野橄榄树。这顶花冠的橄榄枝采自爱丁堡皇家植物园，经过精心编织，戴在了埃里克的头上。当然，埃里克这时候再也无法保持严肃的样子，脸上顿时绽开笑容。全场来宾受到感染，发出的欢呼声又一次响彻大厅。当会场再次安静下来以后，玛耳教授走到台上，开始朗诵这首按照 5 世纪献给奥运冠军诗歌的韵律编写成的，诗人品达③风格的颂歌：

> 赢得场场竞赛，载誉归返，
> 头戴月桂花环，笑容满面；
> 加倍喜乐胜利，奔驰似箭，
> 超越所有赛者，史册惊现；
> 我们欢喜快乐，为此贡献，

---

① 阿尔弗瑞德·伊文爵士：Sir Alfred Ewing
② 玛耳：Mair
③ 品达：Pindaric

埃里克·利迪尔 Eric Liddell

母校同尊同荣，敬此冠冕；

奥林匹克勇士，接受戴上，

从此人生旅途，阳光灿烂。

埃里克获得金牌以后的庆祝集会（1924）

　　毕业庆典结束的时候，埃里克头戴橄榄枝花冠，由众人扛在肩上离开麦宜文大厅。大家簇拥着埃里克游行到圣吉尔斯大教堂①，参加在那里为毕业生举办的感恩聚会。聚会开始不久就被打断了，因为大家急切地请求埃里克上台讲话。埃里克接受了大家的好意，往台上走的时候，思绪纷至沓来。"在宾州大学②的校门口挂着一副横幅，"他开始讲话了，并且尽量地调整他的音量，好让300名学生都听得到，"上面写着，'无论是在战败者的沙场上，还是在胜利者的桂冠上，只要一个人尽力而为，那就是荣耀。'世界上有很多人，无论是男人或是女人，他们都尽了最大的努力，但是最终并没有得到

① 圣吉尔斯大教堂：St. Giles Cathedral，是苏格兰西敏斯修道院和长老会的发源地。

② 宾州大学：Pennsylvania University 美国宾西法尼亚大学。

胜利的荣誉。但我相信，他们也配得和胜利者同样的冠冕。"尽管埃里克取得如此高的夸奖，他仍然保持谦卑含蓄，毫不矫揉造作。

离开圣吉尔斯大教堂，埃里克又被载到大学的学生中心，参加毕业就餐会。这是件非常特别，简直不可想像的事情：一个获理科学士的普通大学生竟然应邀成为庆祝活动的嘉宾。但对于爱丁堡大学，不，是对于整个苏格兰来说，从来就没出现过什么奥运金牌得主啊。当人们邀请埃里克讲几句话的时候，他又一次流露出谦卑的幽默感来。

"我请你们今天在场的人记住，我是个有天生缺陷的人。"他诙谐地笑着说，"我是个短跑运动员，往前冲得很快。所以马上我就会变得气喘吁吁的。请恕我不耽误你们太长的时间。"埃里克话音完毕，立刻引起哄堂大笑。

埃里克大学毕业照（1924）

"你们从报纸上得知，我跑步的姿态和动作好难看。"他继续说到，"但是这种状况很可能要追溯到我的祖先。你们都知道，住在英格兰边界的苏格兰人，经常跑到英格兰那一边，然后再飞快跑回苏格兰这一边……这样一代又一代，我的家庭就把先祖从英格兰拼命跑回苏格兰的本事传给了我。要是有人想逃命，他是不会介意逃命的姿势正确与否的。这也许就是我跑起来不雅观的原因。"

午餐会以后，又一件让埃里克感到惊喜的事情在等着他。这是大学"布鲁斯①"，也是优秀运动员球队（他也是会员之一）为他预备的。他们找到一辆带有辐条车轮的马车——看上去真像一辆英雄的战车，把它用蓝白两色的缎带装饰起来。驾辕的不是马，而是校队里最健壮的几位队员。他们载着埃里克和阿尔弗瑞德男爵同去副校长的庄园做客。连副校长都承认他从未见过如此壮观的景象，更不用说他也一起分享了这样了不起的荣耀。

毕业以后的那个星期，埃里克很高兴能够用"参加训练"这样的借口，推辞掉很多邀请。奥运会之后，因为很多美国的世界一流的运动员还滞留在欧洲，所以有人借此机会安排了一场接力赛，地点在伦敦的斯坦弗桥体育场。两支代表队都由大西洋两岸最佳选手组成，在一场 4×400 米的接力赛中进行较量。美国队在巴黎奥运会上获得这项比赛的冠军，英国队只拿到铜牌。当时同样因为比赛安排在星期天，所以埃里克弃权没有参加。

埃里克和队友布里兹·爱得华 J. 汤姆斯②，理查

---

① 布鲁斯：Blues
② 布里兹·爱得华 J. 汤姆斯：Brits Edward J. Toms

埃里克·利迪尔 ——Eric Liddell

得·N. 瑞朴雷①，还有盖·包勒一起组成英国队。而美国队则由比尔·斯蒂文森②，E. C. 威尔森③，R. A 罗伯森④和哈瑞提·芬驰组成。在跑完三圈之后，美国队的最后一棒传给芬驰，这时候他领先埃里克足有 6 码的距离。埃里克看上去有些缓慢，过了 100 码，他还是落在后面；过了 200 码，他与芬驰的距离缩短了 2 码；到 300 码的时候，埃里克的招牌"风车式"充分发挥了出来：只见他头向后仰，双臂摆动，越来越快。在距离终点线 50 码的时候，他赶上芬驰和他齐头并进，然后超越芬驰，冲向终点——以领先美国运动员 4 码的成绩获得冠军！英国队击败世界之最的 4×400 米接力队！

在 1924 年夏天剩下的日子里，埃里克忙着参加各种各样的邀请赛，聚餐讲演会，福音布道会等。在爱丁堡的一次聚会上，有人代表爱丁堡市，赠给埃里克一块镀金的手表。埃里克借着这个机会，特别称赞他的教练麦克查（他当时也在场）："自从他在'跑得好体育场'拍我的肩膀，已经过去三年了，真让人难以相信。"埃里克回忆着，"但是我欠他的难以用语言来表达。这样的好教练，只能来自神的赏赐，他不仅使我跑得最好，而且还支持我的信仰。"埃里克话声刚一落地，在场的来宾一起向这位爱丁堡大学无私的教练鼓起掌来。

去巴黎奥运会之前，埃里克已经打算将要进入爱丁堡的苏格兰公理会学院⑤，住校修一年神学课程，好为

---

① 理查得·N. 瑞朴雷：Richard. N. Ripley
② 比尔·斯蒂文森：Bill Stevenson
③ E. C. 威尔森：E. G. Wilson
④ R. A 罗伯森：R. A. Robertson
⑤ 爱丁堡的苏格兰公理会学院：Scottish Congregational College in Edinburgh

埃里克·利迪尔 —— Eric Liddell

到中国的传教工作作准备。他的计划是，明年夏天回到中国，在中国实习的这段时间，可以代替没有修完的第二个学期的课程。这样一来，当他下次回伦敦休长假的时候，就可以被正式册封为牧师了。虽然父母对他推迟回中国的计划稍感失望，但当然不用多说，他们完全支持他的决定。

埃里克留在苏格兰的决定非常符合神的旨意，这很清楚。因为在这期间，他的精神深深影响了三个人的生命。一个是苏格兰人彼得·马歇尔①。他在夏天的一次晚会中，被埃里克的话深深打动，就分别写信给伦敦传教差传会和苏格兰公理会学院申请入学，但都遭到拒绝。彼得想起埃里克的话，"神从失败中为你铺设胜利的道路"，继续努力。后来，彼得·马歇尔来到美国亚特兰大的哥伦布神学院学习，毕业后成为一位备受尊敬的牧师，后来被聘作美国参议院的院牧。

第二位，是个来自彼得海德②的护士，安妮·布蝉。那年夏天，她被埃里克的话语所激励，申请到中国的传教工作。虽然当时她一点儿也不知道，一年之后她将和埃里克在人生的交叉路口相遇，但是安妮现在非常想申请去中国河北的肖张医院工作。那里是埃里克早年住过的地方，也是罗伯特医生现在工作的地方。

还有一位是个14岁的女学生，爱尔撒·麦肯尼③，在乔治·瓦特森女子学院④读书。同样她也被埃里克的

埃里克·利迪尔 Eric Liddell

---

① 彼得·马歇尔：Peter Mashall
② 彼得海德：Peterhead
③ 爱尔撒·麦肯尼：Elsa McKechnie
④ 乔治·瓦特森女子学院：George Watson's Ladies' College

精神所吸引，每一天，她都从各种报纸里搜寻有关她所崇拜的英雄的消息。每一天，她都骑自行车来到公理会学院的大门口，希望能看一眼埃里克。当她提出成立"埃里克粉丝①俱乐部"的时候，在她的学校里不乏支持者。于是，她就给埃里克写信，希望能得到他的同意。

以埃里克的个性，他当然不可能拒绝这个女学生。但是他确实在回信中加了一句话："我真不知道这样做会有什么后果。"他这么想当然有保留了。看看兴奋的爱尔撒给他过目的"埃里克粉丝俱乐部"严格的规章制度，就知道他的顾虑是有道理的。

1. 每一位会员都享有会员册其中的一页，上面必须写下赞美埃里克的诗，但是必须得到俱乐部委员会的批准；

2. 如果申请加入俱乐部成为会员，申请者必须接受创办人的面试；

3. 每个会员必须保证做到以下几点：

1）必须永远拥护埃里克·利迪尔；

2）必须出席俱乐部委员会召集的会议；

3）必须遵守俱乐部的规章制度。鼓励会员们遵循埃里克·利迪尔为人做事的方针。

4. 每位会员将会得到一张埃里克·利迪尔的照片，但保证把它放在家里最瞩目的位置；

5. 若任何会员行事与俱乐部的声誉有违背，委员会将立即将有问题的会员除名。

埃里克·利迪尔 Eric Liddell

---

① 粉丝：fans

俱乐部成立以后，埃里克接受了爱尔撒的邀请，到她的家去喝茶。爱尔撒收到信以后兴奋得几乎昏了过去。的确，埃里克在麦肯尼家感到非常亲切，有种重归故里的感觉。所以在他留在爱丁堡的最后一年里，前去拜访了好几次。

1924年的秋天，格拉斯哥学生福音联盟的布道活动非常兴旺，埃里克是很多布道会的主要讲员，从安卓参①，凯玛挪克②，到格拉斯哥，不论是教堂、中学、体育运动俱乐部，还是基督教青年会，都成了他讲演的地方。布道活动的很多主题都和酗酒、吸烟和赌博有关。在这些聚会当中，埃里克所讲的内容非常具有说服力。他并非机械地使用《圣经》条文（学生福音联盟的成员，被人指责为照搬《圣经》的人），并非只是简单地告诉大家，这些坏习惯会影响身体的健康。1925年4月，在伦敦的一次非常成功的聚会当中，很多人及时对埃里克的信息作出反应，当场熄掉手里的香烟。

埃里克在学生福音联盟的最后一年中，最精彩的是在爱丁堡"年轻之生命"福音大会上。他和汤姆森是主要讲员。《苏格兰人》杂志对于这场福音聚会曾这样评论，"两位讲员善用理念进行分析，而不单单靠情绪的感染来打动听众。他们向那些机智活泼的年轻人发出直接挑战，质询他们的理性和人性。"这不禁使人想起40年前亨利·都蒙德③和穆迪配合默契的传福音的工作。

由于埃里克当年的讲演稿保存下来甚少，致使这留

埃里克·利迪尔

——Eric Liddell

---

① 安卓参：Androssan，地名。
② 凯玛挪克：Kilmarnock，地名。
③ 亨利·都蒙德：Henry Drummond，人名。

下来的一篇显得非常特别。这是在"年轻之生命"福音大会之后的一个星期后，他向爱丁堡圣乔治联合自由教堂①1000 多名青年男女发表的讲演稿，书写的风格简单而严肃：

> 你是否按照耶稣基督的标准而生活？我们在寻找愿意接受基督标准挑战的人，无论男女……在每天的生活当中，你是否在寻找领路人？在基督那里，你将找到值得你全心全意服从的领路人。我曾寻找使我钦佩的，我已找到，就是基督。我欠了他的债，就要报答。因为他所给我的信息，若不经历，无法体验……爱丁堡的星星之火，可以燎原整个苏格兰。今晚，你将如何去行动？

在即将告别苏格兰的这一年，虽然埃里克接受很多邀请，到处去讲演，但他并不是随随便便地接受每一个邀请。他总是向年轻人证道，也出席大多数田径运动方面的集会。但他很小心地与纯粹的社交活动划开界线，绝对不会为了出名的缘故而接受邀请，这一点他非常坚持。有一次，一个典型的"沽名钓誉"的人邀请埃里克出席一个高雅的派对，而为此受到"粗鲁的"提醒。埃里克并没有按照社交惯例，身穿燕尾晚礼服，英俊潇洒而来，而是模仿当年在爱尔撒姆学院的伎俩，身裹一条浴巾来到主人家门口。

"请传话给你家主人，利迪尔－巴斯②骑士驾到。"当他跨过门槛儿的时候跟侍者说，眼睛里闪烁着诙谐的

埃里克·利迪尔 | Eric Liddell

---

① 爱丁堡圣乔治联合自由教堂：St. George's United Free Church in Edinburgh
② 巴斯：bath 即澡堂的意思。这是埃里克当年在爱尔撒姆学院去巴斯游泳场时，最喜欢表演的滑稽节目。

目光。当然主人绝对不欣赏这样的玩笑，但是到访的客人们都心领神会了。

5月，又到了每年一次在格罗克哈特运动中心举行的大学运动会的时候。在埃里克跑步生涯中，这是第五次参加比赛。尽管他每日忙碌，参加各式各样的社交或福音大会，但他对于跑步的热爱一点儿也没减退。比赛中，他轻而易举地夺得100码，220码和440码的冠军。在这一次和紧接着的一个月所举行的所有比赛当中，成千上万的人为了目睹这位奥运冠军的风采，兴致勃勃前来观看比赛。很多人要求和埃里克合影留念，他也勉强同意了。

1925年6月27日，星期六。埃里克在苏格兰参加了最后一场比赛。地点：格拉斯哥汉普登公园。赛事：苏格兰业余运动员冠军赛。与此同时，学生福音联盟希望借此机会展开福音事工作。当时场内的12000名观众都是埃里克的"粉丝"，他们来此观看比赛的目的，都是为了再见到他一次。埃里克没有辜负他们的期望。这场运动会简直就像未来的1928年奥运会的预演赛一样，因为很多在场的运动员，后来都参加了那届奥运会比赛。

在汉普登公园的比赛中，埃里克以10.0秒的成绩赢得100码决赛——领先第二名仅几时之微；让人大跌眼镜的是在220码的比赛中，他取得22.2秒的好成绩赢得冠军。这个速度比他在奥运会上摘铜牌的记录还要快；最后在440码的比赛中，他跑出迄今为止个人的最好成绩：49.2秒！如果换算成400米，他的速度只有48.9秒！

　　在这场苏格兰业余运动员冠军赛的闭幕式上，当埃里克接过颁发给苏格兰每年最佳田径运动选手的克拉比①奖杯的时候，全场欢声雷动，震耳欲聋。在苏格兰历史上从未有过像他这样的运动员，多次获得这个奖杯：第一次是在1922年，接着1923年，1924年，1925年连续4年。在苏格兰历史上也从未有人，能像他这样长久"称霸"田径运动场。在颁奖仪式上，埃里克的致谢词简单得恰到好处："我人生的座右铭是：若一件事值得去做，就要做好它。在跑道上奔驰了4年之后，我宣布从此结束我的运动生涯。"

　　一个星期以后，埃里克实现了他的承诺，启程奔向中国。

　　在格拉斯哥和爱丁堡，成百上千的人来参加为他举办的告别聚会。会上，埃里克和大家分享他如何在妹妹的鼓励下，投入到传福音的活动中。在阿玛岱儿，他第一次登台讲道的时候，面对80名听众，他从洁妮写给他的《圣经》里的一句话中，得到极大的激励。现在他觉得这句话更加动人："你不要害怕，因为我与你同在。不要惊慌，我会带领你。"

　　格拉斯哥当地的一份报纸，忍不住刊登了一张埃里克的漫画：埃里克下身穿运动短裤，上身穿挎篮背心儿，脖子上系条牧师的领圈在跑步。在这漫画的下面有一首动人心弦的短诗：

　　　　埃里克下一场竞赛，目标遥远的中国，
　　　　犹如参加奥林匹克，方向坚定而笔直。

---

① 克拉比：Crabbie

前途未卜未来如梦，道路多艰险崎岖，

信他定能克服困难，因为他掌管驾驶。

埃里克要离开他所热爱的爱丁堡的那天终于到了。成百的人再一次来到他的家，用特殊的方式为他送行：两队大学生充当行辕，拉着一辆镶满缎带的马车等候在门口。当载着埃里克和他的4个行李箱的"马"车行驶在公主大街①的时候，马路两边围观的人越聚越多。每个人都热泪盈眶地要再看一眼这位威名远扬的"苏格兰飞人"。到了沃特雷火车站，更多的人蜂拥而来，拥挤在他要乘搭的火车旁边，使场面一度失控。

当火车开始启动滑离车站的时候，埃里克将身子探出窗口，眼望着随车跑动的、可爱的苏格兰同胞，想着要说些什么。他想喊出来，但声音被轰隆而响的火车引擎声和人群的欢呼声淹没了。他在无可奈何之中，开始唱起他最喜欢的诗歌《耶稣普治》②。很快的，每一个人都随着他唱了起来！火车的速度越来越快，不久，他那一头金发就逐渐消逝在远处的山谷之中。埃里克没有料到，月台上的人群还是在一段接着一段地唱下去，直到曲子的末了。

在奔驰着向南边的伦敦行驶的火车上，埃里克独自陷入沉思之中。他已经向苏格兰的"家人"告别了，那些成千上百伴随着他跑步生涯的人，那些成千上百经过他传福音而生命得到改变的人都是他的"家人"。他很快就要见到在中国的真正的家人。在那生他养他的地

埃里克·利迪尔 | Eric Liddell

① 公主大街：Princess Street

② Jesus Shall Reign Where'er the Sun：译名"耶稣普治"来自《颂主新歌》第170首。

方，在那难以忘怀、迫切需要耶稣福音的地方，等待着他的将会是什么呢？

　　埃里克对现今中国的状况稍有了解。他收到一封父亲写的一份年度总结报告。里面提到了现今中国的政治局势和传教工作所面临的特殊使命。当他一页一页读下去的时候，他的心里不免有些惆怅。但是，他也感到一种出乎意料的平安。神带领他走过一切——包括那些几乎分不清跑线的跑道，那些人为的终点，现在他终于可以回到中国了。神又在体质上，精神上，情感上都充分地预备，让他积极地面对那个他一知半解，前途未卜的国家。

　　他在生命线跑道上的比赛终于开始了。

埃里克·利迪尔 — Eric Liddell

第 九 章

1925 年~1928 年·中国·天津

横跨西伯利亚大铁路①的火车轰隆轰隆地行驶在贫瘠的大草原上。在车里雅宾斯克②开往符拉迪沃斯托克③的路上，埃里克合上眼睛，靠在柔软的铺位上。父亲的信已经给翻看得皱了起来，他把它们胡乱地塞进帆布书包里。

他在回忆上次乘蒸汽轮船从中国回英国的感觉，现在和那时真是完全两样的感觉。由俄国沙皇亚历山大三世④构思，于20世纪初建成的这条西伯利亚大铁路，象征性地把欧亚两个大陆连接了起来，加快了漫长旅行的中转时间。这趟旅行到目前为止，他先乘坐渡船经英吉

---

① 西伯利亚大铁路：Trans‑Siberian Railway，是世界上最长的铁路，连接俄罗斯首都莫斯科（通常称为雅罗斯拉夫站）和日本海岸的海参崴，全长9288公里（若把莫斯科至沙俄首都圣彼得堡的路程计算在内，总长为9937.7公里）。共穿越8个时区，全程需时7天。

　　西伯利亚大铁路1891年动工兴建，1916年完成；1929年开始电气化工程，至2002年完成。在中国新疆与哈萨克之间的铁路在1991年通车之前，是惟一横跨欧亚大陆的铁路，也是至今惟一贯通西伯利亚的交通路线。西伯利亚大铁路有两条传统支线：一支由乌兰乌德附近分出，经蒙古到北京；另一支由Tarskaya（赤塔附近）分出，经满洲里、哈尔滨到北京。第三条支线（即阿穆铁路）在1991年通车。由于中国采用标准轨距（1435毫米）而俄蒙两国采用阔轨，故列车抵达在中蒙、中俄边界时需要换轨，需时数小时。（摘自维基百科）

② 车里雅宾斯克：Chelyabinsk 苏联的乌拉尔城市。

③ 符拉迪沃斯托克：Vladivostok 苏联远东区港市。（中国传统上称海参崴）

④ 亚历山大三世：Tsar Alexander III

利海峡到法国，再从法国坐火车到俄国，从俄国登上这趟堪称从世界上最长的铁轨上开过的火车，横跨5000英里的西伯利亚大草原到车里雅宾斯克。从那里他再转乘西伯利亚大铁路的支线到中国的东北。

从父亲的报告中得知，此时中国的政治局势，正因为在上海发生的"五卅惨案"而动荡不安。1925年5月，上海和广州的学生和工人上街游行，抗议外国资本家对中国工人的不平等待遇，而遭到租界外国巡警的开枪镇压。在香港，罢工示威持续了几乎一年。因为一些参加示威游行的群众被枪杀，所以中国反洋排外的情绪空前高涨。那里的传教士们又一次担心起安全的问题。埃里克的父亲简直找不到合适的语言来形容目前的情况：

> 中国人的仇恨加深，真假难辨；局势极为复杂，变幻无常，难以描述；各派的立场如此对立，再多的办法也难以调解，每日如履薄冰。整个国家都在阵痛之中，希望能找到一个满足各方要求的办法。至于办法行不行得通，则另当别论。

这个大罢工是由国民党内的左派力量促成的。国民党的领导人孙中山在3月份的时候突然去世。其左派，即毛泽东领导的共产党，希望在中国进行彻底的社会改革；而此时由蒋介石领导的右派，却竭力着重巩固国民政府。这两派之间的冲突已经到了不可调和的地步，一场内战也迫在眉睫。

火车正向着南方，向着中国行驶，埃里克的心跳开始加快。现在正是7月底，传教士和他们的家人，包括利迪尔全家都在北戴河休假。在天津的前几站埃里克下了火车，他终于踏上了中国的土地。等待他的是母亲和洁妮狂喜的尖叫，父亲和弟弟俄内斯特的欢呼声。哥哥

埃里克·利迪尔
Eric Liddell

99

罗比和新婚的妻子也将在第二天到达这里。他刚刚被重新委派到肖张的医院工作。

在接踵而来的5个星期里，埃里克在北戴河的海湾渡过了有生以来最具有田园风光的日子：悠闲地享受着家人和其他传教士家庭的陪伴；结识未来的天津新学书院的同行；甚至代替父亲在本地的教堂客座讲道。那所教堂星期天设有两堂礼拜，上午一堂是中文，晚上一堂是英文。让埃里克稍感沮丧的是，他几乎已经全部忘掉了怎样说汉语。但是其他的人并不觉得奇怪。詹姆斯悄悄地告诉儿子，利用这段休假的机会，好好温习一下他的"母语"。

作为最受欢迎的主日学老师，星期天通常是埃里克最乐于忙碌的时候。有时候孩子们天真无邪的笑声打搅了一天当中最神圣的时刻，让那些古板的传教士们感觉不自在，但是看到孩子们在神的家中如此喜乐，大多数人都感到非常高兴。孩子们当中更开心的是弗罗伦丝和玛格丽特·麦肯基①。她们是加拿大籍传教士的女儿，属于"永世不忘埃里克·利迪尔粉丝俱乐部"里的"顽固成员"之中的两位。

埃里克在这里也和安妮·布蝉老友重逢。她就是埃里克在苏格兰学生联盟复兴会上激励的那位女子，后来也成为他终生的朋友。安妮和她在北京汉语学校的同学们也来到北戴河度假。埃里克从她们那里听到很多关于"五卅惨案"之后的故事，包括在首都北京日益扩大的学生躁动。

来自新学书院的老师们，同样也为天津所发生的学生骚乱感到困扰。听说新学书院的学生要在9月的时候罢学罢课，让他们感到很担心。

埃里克·利迪尔

Eric Liddell

① 弗罗伦丝和玛格丽特·麦肯基：Florence 和 Margaret Mackenzie 两姐妹

在学校教职员工中，埃里克是最年轻、最无资历的一位。尽管如此，他也要对当前的局势发表意见。他抛开顾虑大胆地对大家说，无论学生是否罢课，我们都应该正常开课。出乎意料的是，其他的老师都同意他的意见。但是9月究竟将发生什么事呢？

尽管这样的阴影始终挥之不去，埃里克还是尽量地享受开学之前的这段时光。在北戴河，人们按照他的本相接纳他：传教士的儿子，现在也做了传教士。毫不夸张地说，这里的传教士们把他养育长大，把他浸泡在他们多年无私的工作和丰富的神的话语中。像埃里克一样，他们来到中国也是听从了神的召唤。

传教士们来到中国并不是最近才有的事。自从马可·波罗①发现与中国的通商贸易之路以后，基督教的传教士们就来到远东。第一批是来自"耶稣会②"的成员。他们是一些传统而热心的学者。而在他们当中，大家公认的第一位来华的传教士是马提欧·利奇③神父。他于1583年来到中国，到1601年成功建立了长期的传教（天主教）事业。

马可·波罗之后，中国这块土地就像磁铁一样吸引着商人和传教士纷纷前来。中国人并不知道这两者的区

① 马可·波罗：Marco Polo
② 耶稣会：Society of Jesus
③ 马提欧·利奇：Matteo Ricci，利玛窦（1552年10月6日～1610年5月11日），意大利的耶稣会传教士，学者。1583年（明代万历年间）来到中国居住。其原名中文直译为马提欧·利奇，利玛窦是他的中文名字，号西泰，又号清泰、西江。在中国颇受士大夫的敬重，尊称为"泰西儒士"。他是天主教在中国传教的开拓者之一，也是第一位阅读中国文学并对中国典籍进行钻研的西方学者。他除传播天主教教义外，还广交中国官员和社会名流，传播西方天文、数学、地理等科学技术知识。他的著述不仅对中西交流作出了重要贡献，对日本和朝鲜半岛上的国家认识西方文明也产生了重要影响。（摘自维基百科）

埃里克·利迪尔 Eric Liddell

别，或是说也不愿意区分他们的不同。对大多数中国人来说，这些外国人，无论他们的动机如何，一律是"洋鬼子"。从1600年至1800年间，虽然东西方贸易日趋兴旺发达，但传播福音的事业却逐渐衰弱。其中的原因之一是鸦片对中国人民造成的危害。

19世纪初，英国和美国都出现过一阵基督教复兴运动。几个主要的宗教团体都将传教放在首要的位置。他们不顾鸦片战争的危险，来到中国。"太平天国起义"自1850年开始，持续近15年。这种怪异的造反不仅夺去了许多传教士的性命，也使很多持有相同信仰的人丧失了生命。太平军的领导人洪秀全，读了传教册子以后，相信自己是耶稣基督的弟弟，于是建立起太平天国的军队，誓要扫荡中国一切的罪恶势力，包括满人、道教、佛教，还有孔教。这场起义最后被中国的贵族阶层所镇压。

太平天国起义之后，中国的排外意识更加强烈，而西方列强的殖民主义姿态也毫无收敛。传教士们依旧陆续不断前来中国。在19世纪70年代，詹姆斯·哈森·泰勒牧师[①]（中文名字叫戴德生）向伦敦的中国内地会总部提出，差派更多的传教士到中国北方的广大农村。中国幅员广大，加上在城市传福音的活动遭到阻拦，这些因素促使总部接纳了他的提议。1884年，他们在牛津和剑桥两所大学同时开始大量招募传教士，目的在于将"运动员型的传教士"差派到中国。

戴德生认为，这些年轻人在精神和身体上素质良

① 詹姆斯·哈森·泰勒牧师：James Hudson Taylor，戴德生。

好，并受过高等教育，可以把他们在英国教育体制下受到的熏陶带到中国，更好地完成向住在中国广大的穷乡僻壤的农民传福音的任务。当时有不少人响应这样的呼唤，其中包括著名的"剑桥七杰①"，也就是汤姆森、罗比和埃里克所仰慕和仿效的传福音的典范。

19 世纪末，福音派机构所派出的传教士已遍及中国的每一个省。尽管如此，他们所接触的中国人却只是一小部分。虽然中国内地会不断敦促，由各个宗教机构派出的 8000 名传教士还是在中国东部海岸线一带颇为有效地工作。这时候，詹姆斯·利迪尔就是因着这种需要，被差遣到最需要的地方——蒙古，一个迫切需要福音的地方。

25 年后的今天，中国境内的传教士人数比任何时候都多，但是中国人排外的心理也比任何时候都严重。"五卅惨案"重新让"外国侵略势力"这个话题变得火热起来。而传教士们，比起即便住在大城市里大多数中国人来说，过着相对富裕的生活，也成为众矢之的。

利迪尔家住在天津法国租界伦敦差会街 6 号②。那的确是一幢宽敞漂亮的房子，门前还有网球场。天津的普通居民做梦也住不起这样的房子。虽然埃里克可以选择居住在其中任何的一间，他还是把自己的行李物品搬到了楼顶的小阁楼里。从这里，他可以鸟瞰整个天津城，从污浊不堪的海港到新学书院那灰砖塔楼。作为中国基督教传教士的第二代，在那里，他将用每天的大部分时间来教导学生，来解释神的话，来向神祷告。

---

① 剑桥七杰：Cambridge Seven
② 伦敦差会街 6 号：No. 6 London Mission

埃里克出生在天津，但是他却对这个肮脏零乱的城市毫无印象。有一家让埃里克的父母感兴趣的"鬼市"，那里充斥着盗贼、鸦片贩子和假货的非法交易。肮脏狭窄的小巷里，两边布满纸板搭起的棚子。住在这里的穷人，为了食物可以出卖任何东西。当然，在埃里克离开的这 20 年里，天津已经变得有些大都市的模样了，已经号称当时中国的第二大城市。城里开通了 3 条电车路线，那些电车的缆线纵横交错在市区里延伸。市区里还有 3 所大学，市民的识字率也逐步上升，为天津新闻界的 7 家日报社提供了读者的市场。

根据古书记载，天津是"天子津梁①"，即"皇帝的渡口"的意思。但是至少西方人会把那条横穿天津的海河，当作是"天神"所赐的礼物。每一年，夹杂河泥的主要河道洪水泛滥，不但使越来越多的人无家可归，也使瘟疫疾病四处传播。

天津幽雅的住宅区不多，其中包括所有西方传教士，还有西方人居住的英法租界。还有义和拳运动以后，以保护外国侨民利益为理由，驻守在当地的一万名外国驻军的区域。

埃里克在位于大沽路的新学书院里，完全可以远离天津贫穷的社会底层。他将开始教授自然科学、宗教课和体育课，而他的学生皆来自中产阶层和富裕的家庭。学校的创办人，教务长拉翁敦·哈特②博士，在埃里克出生的那年成立了这所学校。他的信念是，如果能为那

---

① 原文为 City of the Heavenly Ford。若按字面意思理解，可当作"神仙的渡口之地"的意思。所以才出现下句的说法。

② 拉翁敦·哈特：Dr. Lavington Hart

些社会精英家庭的子弟提供基督教文化教育，中国的未来将会更美好。但是想用这样的方法来改变社会结构，效果实在很慢。1902 年，第一批学生进入"新学堂"（他们这样称呼这所革命式学校）的时候，他们带着各各式样的东西：有铺盖卷儿，饭碗，还有筷子。到了1925 年埃里克的年代，他们已经大有进步，入校的学生只携带着衣服和书本了。

天津的新学书院是当时外国传教士开办的三个中学之一，另外的两个是美国人开办的美以美会学院①和法国人开办的罗马天主教学院②。新学书院每年约有 40～50 名毕业生。这些毕业以后的年轻人有的继续到中国或国外的大学深造，有的直接进入社会机构工作，也有的经营生意或是走上从政的道路。在埃里克加入学校的时候，学校里有 25 名中国教师，还有 5 名英国教师，包括他在爱尔撒姆学院的老师和导师 A. P. 库伦。

到了正常开学的 9 月，根据报名的资料，今年预计的学生应该有 400 名寄宿生和走读生，他们都来自非基督徒的家庭。开学的第一天，只有 150 名学生注册。一个星期以后，剩下的 300 名学生全如期而至。事实证明，埃里克当初"静观其变"的原则是对的。

开课几个星期以后的一天，埃里克回到和父母一起住的家里，极度的疲劳使他一进门就瘫倒在客厅的椅子上。他的母亲正在预备晚餐，而父亲则正在忙着周末要在教堂讲道的文章。

"埃里克，孩子，别给自己太大的压力。你回到中

---

① 美以美会学院：American Methodist School，简介请参附录二。
② 罗马天主教学院：French Catholic School，简介请参附录二。

国才一个多月的时间。"詹姆斯·利迪尔劝解说。

"爸爸，您不知道，学校刚刚告诉我，让我另外担任教英文课的老师。英文是我最不拿手的一门课呀。还有啊，我几乎把中文忘光了，连跟学生谈话都不行！我怎么还能和他们讲耶稣呢？"埃里克大声叹着气说。

"孩子，记得我在北戴河是怎么跟你说的，中文是你儿时学的语言，用不了多久你就会重新熟悉。但是注意要随时随地地学习。至于和孩子们讲耶稣嘛……"

埃里克急迫地盯着这位头发灰白的牧师传教士。"怎样，爸爸？"

"记住神给你的恩赐，你善于跑步，热爱运动。他们现在当然不认识你……"

埃里克会意地笑了起来，兴奋地拍了一下大腿，"我懂您的意思了！爸爸，就是说……可是您是知道他们穿的是什么样的衣服！"

新学书院读书的男孩子们身穿的学校制服，是身长及地、袖长及腕的那种深蓝色的袍子。他们就是身穿这种校服，参加学校的一切活动，包括上体育课。所以使学习任何运动，特别是跑步和踢球的活动大受限制。还有，如果天气稍微有雨，如果哪位队员被人偶尔踢到腿，或是赢球的机会不大，他们就自动停止不再继续玩儿了。

但是，埃里克知道他的想法会得到趣味相投的哈特博士的支持。早在埃里克来新学之前，哈特博士就提倡"强体健心"的哲学。他非常高兴有一位奥林匹克运动员成为学校的教职员工，这早已是公开的秘密。数年之后，A. P. 库伦曾这样评论，体育运动"是造就基督徒

埃里克·利迪尔 | Eric Liddell

的最有效的地方。可以肯定地讲，如果他是运动场上真正的好手，他就会在任何情况之下参加比赛，也可以在任何不利的环境中，仍然保持信心和良好的心态，他知道怎样应付挫折。在伟大的生命之竞赛当中，他也将成为真正的好手"。

经过几个星期深思熟虑，埃里克心中充满信心，终于跨出了这重要的一步。这一天上体育课的时候，他以这样的形象出现在学生面前——上身穿跨栏背心儿，下身着短裤！

埃里克在学校狭小的草坪上，跑来跑去，给学生们作示范表演，告诉他们运动是多么容易做到的事情。学生们刚开始乐不可支地嘲笑他，后来他们就挽起长袍跟着运动了起来。没过多久，埃里克就以此为例，说服学校董事会，让孩子们可以以身穿短衣裤上体育课。当学校颁布这个决定的时候，埃里克立刻成了最受欢迎的老师。

当孩子们的技巧开始提高的时候，埃里克又发现了一个问题：在学校里根本找不到合适的地方上体育课或开展体育运动。那时候，整个天津市没有一处体育场所可以让运动员进行比赛。几年之后，在埃里克的亲自监督下，"民园体育场[①]"完工了。这座体育场是模仿伦敦斯坦弗桥体育场建造的。埃里克当年就是在那个地方，参加过很多重要的比赛。

埃里克绝佳的运动技巧，和让每一个人在场上发挥优势的能力，让他成了学生们最喜欢接近的人。

埃里克·利迪尔 Eric Liddell

---

① 民园体育场：Min Yuan Sports

在其他方面，埃里克不久也开始崭露头角。他开始领导学校早上的祷告和晚上的查经活动。每天早上，都由一位老师向全体师生讲解一段经文的意思。埃里克参加学生福音联盟工作初期，第一次在阿玛岱尔讲道时发掘的恩赐，现在仍然与他同在。他讲起话来通俗易懂，很快就打动了学生们的心，很快他也成了最受欢迎的讲员。在当时很多老师比较避讳学生，从不请他们到家里做客。但埃里克却经常把学生带回家，还帮他们组织起周末学习小组。

奇怪的是，埃里克总是不习惯在教室里上课。如果身穿笔挺的西服，用严肃的态度向学生讲课，他会觉得自己的身体被限制和捆绑。他最喜欢教化学课，也许是因为在实验室的气氛里，他更容易和学生打成一片。随着时间的推移，他在承担的所有课堂教学方面，变得越来越潇洒自如了。

因为学校坐落在西方人聚集的天津法国人管辖区，外面世界所发生的事情对于他们就好像在梦中。但是快到1925年圣诞节的时候，由于中国西部一些军队之间的冲突，战斗已经打到埃里克的大门口。这是因为以前操控着一些省市的大军阀们，企图利用最后喘息的机会，从蒋介石的国民党和毛泽东的手里夺回控制权。

从埃里克在大平原的"老家"肖张传来消息，他们非常需要医疗方面的传教士，安妮·布蝉听到这个消息以后马上报名出发了。到圣诞节的时候，战事已经蔓延到天津。尽管他们小心谨慎，不让租界成为冲突地区，但是很多外面的中国人在战争中丢掉了性命。后来国民党部队夺回了控制权，不幸的是大约两年之后，北方的军阀内战才逐渐平息下来。

1928年6月4日，蒋介石的部队又取得了一次决定性的胜利。他占领了北京，并且计划在南京建立新的首都。国民党的这一行动，似乎暗示着新的联合统治。霎时间，基督教传教士们对未来又产生了新的希望。

1928年5月，军阀们宣布与国民军开战的时候，肖张的传教医院被迫再次疏散。但是如安妮信中所述，到了秋天的时候，他所认识的"罗比医生"和他全家又回到肖张，开始监督重新建立医院，建立传教基地的工作。

埃里克在"远东地区运动会"上（1928）

在此期间，埃里克在天津的新学书院。正全面开展他为学生设计的体育运动计划。1926年春天，他组织了学校田径运动会，后来定为每年一度的运动比赛项目，吸引了许多人参加。1928年10月，他本人参加了新命

埃里克·利迪尔 Eric Liddell

109

名的"远东地区运动会①"。这个运动会由日本天皇裕仁发起，目的在于让亚洲以外的国家不要小看亚洲。比赛地点在中国东北部，辽东半岛的亚瑟港口②（即现在的旅顺）。为了主办这次运动会，政府在那里修建了一座大型的体育馆。世界各地的选手也组队陆续前来参加。

这些世界一流的运动员刚刚结束在阿姆斯特丹③举办的1928年奥运会。大家都说，只要埃里克向伦敦差会请假，也应该可以参加这届奥运会。在阿姆斯特丹奥运会田径赛当中，400米竞赛的金牌由美国的瑞·巴布提④所得，他的成绩要比埃里克创下的记录慢。而800米的金牌由埃里克的同胞，也是上一届的冠军，布瑞特·道格拉斯·罗卫再次夺取。

远东地区运动会上，在看台上拥挤的大约50000名观众面前，埃里克以21.8秒的成绩赢得200米冠军。这个成绩平了加拿大选手佩斯·威廉⑤在阿姆斯特丹创下的记录。紧接着在400米比赛中，埃里克再度成功，成

---

① 远东地区运动会：Far East Games
② 亚瑟港口：1895年清日甲午战争中方战败，签订了马关条约，其中包括割让辽东半岛。大连被日本占领。1898年~1905年，在俄、德、法三国干涉下，日本撤离。随后俄国租借大连，设大连市（Dalny）。在旅顺建设亚瑟港（Port Arthur）海军基地。设立关东州。1905年~1945年，俄国在日俄战争中战败。根据朴茨茅斯和约，俄国退出，由日本租借大连，在石河以南建立关东州厅。

1945年8月10日，苏联正式向日本宣战，苏联红军进攻满洲国，进占东北三省包括大连。第二次世界大战后，盟国根据《雅尔塔协定》，苏联军继续在大连驻军，并在旅顺建立海军基地。1951年旅顺和大连两市合并，称之为旅大市。1955年苏军撤离大连，苏联将大连及旅顺的主权归还中华人民共和国。1981年旅大市恢复市名为大连市。（摘自维基百科）
③ 阿姆斯特丹：Amsterdam
④ 瑞·巴布提：Ray Barbuti
⑤ 佩斯·威廉：Percy Williams

绩 47.8 秒，平了巴布提在阿姆斯特丹创下的世界记录。
虽然没有按照计划严格的训练，没有国家资金支持，也
没有适当的体育设施，埃里克仍旧是世界一流的短跑运
动员，仍然是世界上最佳的 400 米选手。

在那次运动会中，埃里克作为特邀嘉宾单独表演
100 米的比赛。当时一个中国的摄影师发现这个绝佳的
机会，就在埃里克起跑的时候，把他的三角架支在跑道
上。他绝对没料到埃里克的速度如此之快，也没有想到
他正好挡在埃里克的跑道上，在观众的一片惊呼声中，
埃里克以迅雷不及掩耳之式，与摄影师和三角架撞个正
着。摄影师和三角架被撞飞了，而埃里克脸朝下摔在地
上昏了过去。

这时候，两个头发蓬乱的人，急忙连推带搡地推开
拥挤的人群，往倒在地上的埃里克这里跑了过来。他们
熟练地搀起埃里克，把他抬到了场外的急救帐篷里。几
分钟以后，埃里克醒了过来，眼前看到两个蓬头垢面的
流浪汉，脸上带着奇怪的笑容正看着他。他刚开始有些
迷惑不解，但紧接着埃里克认出了是谁，就兴奋地欢呼
大笑起来。原来是安妮和罗比也来到满州里——怎么
会呢？

"跑得好啊，小伙子！"罗比和弟弟打着招呼，拍着
他肩膀好像什么事情也没发生过。"我们迟到了一会儿，
但是一点儿也不难把你认出来，或者说把你抬出来。"

安妮点点头，强忍着笑说："我敢说，埃里克，这些
中国人根本搞不明白你是怎么回事，包括那位摄影师。我
敢打赌，你那些学生很快就学会用风车式赛跑了！"

他们两个你来我去拿埃里克开玩笑，直到他举手认

埃里克·利迪尔
——Eric Liddell

111

输。"好了,别再逗了。你们怎么来这儿的?肖张离这儿并不近啊。"

安妮和罗比互相看了一眼,点着头。然后罗比说:"我想可以给你看东西了,但是看你能不能试着站起来走路。"他用手搀着埃里克的手臂,领他走出体育场。在那儿,靠墙立着一辆摩托车。这是肖张传教基地的第一辆摩托车,也是最适合在中国农村那些破烂不堪、尘土飞扬、颠簸不平的道路上使用的交通工具。

"你们开着这个东西——来看我?"埃里克摇摇头,觉得不可思议。

"哦,要是你来自一个像我们这样离多聚少的家庭,你发现你和他们正好在同一个国家——一个很大很大的国家,忽然你意识到你从未看过奥运会冠军,而这位冠军又正好是你的弟弟,跑得……"

这样的夸奖总是让埃里克觉得不舒服。此时此刻,埃里克的思绪停下来,开始想念起他的家人,想起这些年在肖张、在竹门镇、在爱丁堡、现在在天津和亲人相聚的那些宝贵的日子。自从回到中国,他和父母亲住在一起已经3年了,希望自己能珍惜这样的机会。

但是埃里克没料到,又一次不可避免的告别即将来临,并且它来得如此突然。

第 十 章

1929 年 ~ 1935 年 · 中国 · 天津

1929 年夏，伦敦差会通知詹姆斯·利迪尔，这次回伦敦休大假以后，就不需要再回到中国继续传教的工作了。因为他的健康日渐衰退，加上中国传教工作的局势不定难以预测，大家不想让他承担更多的风险。詹姆斯做了这么多年传教工作，突然一下要退休了，这使得家里的气氛有些沉闷，就像蒙上一层阴影。

在过去几年里，埃里克和父母亲、洁妮还有俄内斯特多次分手，但是从未像这一次感觉到那么孤单。他站在德国汽轮 Saarbrucken 上船的跳板上和母亲话别，他的声音哽咽，眼泪也流了下来，他飞快地把脸上的泪水擦掉。母亲的脸上也挂满了泪水。"我会非常非常想念你们的。"他悄悄说着，把头靠在母亲的肩头。

"埃里克，抬起头看着我。也许是你该和什么人见面的时候了……"

"您知道，她必须得完全像您一样。"他向母亲眨眨眼睛说，显出他天生的幽默感来。"那你可要麻烦大了。"母亲也幽默地回答。

此时此刻，埃里克还可以和母亲开玩笑。但是在接

埃里克·利迪尔——Eric Liddell

踵而来的几个月里，他十分想念家人。他住在和其他三位老师和医生分租的一套公寓里。宿舍离学校很近，和室友住在一起也很融洽和开心。多年之后，这些当年的室友都写文章来回忆他们和埃里克在一起的日子。异口同声地称赞他的幽默感和用之不尽的爱心。正如那位外科医生乔治·多凌[①]所写："和埃里克做事为人的标准相比，我们三个人差得很远。但他总是把我们当朋友看待。我知道任何时候我们都可以信得过他。他是个意志非常坚强的人，这是他拥有一颗爱心的缘故。"

星期日的时候，他固定参加父亲教堂的礼拜活动，而且他刚刚被提议做主日学的负责人。每次上课之前，埃里克总是先领孩子们唱诗歌。

1929年夏日的一天早上，他比平时早了些来到合众教堂[②]，因为他要和新来的管风琴老师一起，排练一下这个星期要领唱的诗歌。听到身后教堂的门开了，他转过身去，看到一个苗条的女子急匆匆地朝他走来，短短的黑色卷发上下蹦跳着。

"你好，埃里克，"她声音柔和地说，"你认不出我了吧，是不是？"

望着她那阳光明媚的脸庞和调皮闪亮的眼睛，埃里克笑了起来，心里想：好像有些面熟。"有几年不见了吧？"他疑惑地问。

"哦，很不错嘛，有几年不见了。那时候我还是个小女孩儿，你肯定没有注意到我。"

① 乔治·多凌：George Dorling
② 合众教堂：Union Church

埃里克笑着摸着下巴。"真没有想到，我竟然会忘记了像你这样的面容，但是我确实记不得了。嗯……小姐，你的芳名是——"

"弗罗伦丝·麦肯基。是1925年，在北戴河。你刚从苏格兰回来。那时候我才14岁，可是你还是跟我和妹妹玛格丽特一起玩儿。当然啦，也跟其他很多孩子一起玩儿啊。噢，还有，你那时候也是主日学老师！你不记得我们一起玩得好开心吗？嗯，没关系，我们刚从另外一个地方回到天津做传教工作。所以，我就出现在这儿啦。"

"好啊，麦肯基小姐，我们开始吧？"埃里克有些紧张，也不知道说些什么，只好指着歌本说。

弗罗伦丝的父母新搬的家离埃里克以前的家不远。像埃里克的父母一样，他们也很喜欢家里人来人往，充满活力、欢笑和歌声。埃里克一到那里，就有那种宾至如归的感觉。但是他一想起弗罗伦丝就觉得有些不自然。其实，弗罗伦丝早在第一次见到他的时候，就爱上他了。但她对这样的感情守口如瓶。只要她觉得埃里克在看她，或是轻轻碰她一下，让她注意什么，她的心就像小鹿一样欢快蹦跳。

周围的人谁也没猜到，埃里克和弗罗伦丝在"拍拖"，连弗罗伦丝自己也不敢相信。她才17岁，根本不允许和一个27岁的男人单独在一起，就算是大名鼎鼎的埃里克也不行。所以，每当他们想在一起的时候，周围必定会有一大群人。

夏末，几个传教士家庭组织一次郊游活动。在外出

埃里克·利迪尔
Eric Liddell

115

的路上，有些精明细心的人大概看出一些埃里克的心思。当这十人小组开始攀登北牛亭山（一位有名的中国古人隐居之地）的时候，埃里克总是帮弗罗伦丝背背包，想方设法照顾她。他们艰难地爬了几个小时之后，正准备休息，发现埃里克不见了。忽然有人指着高高的山顶说：

"他在那里！他怎么爬得那么快呀？"

一个传教士的太太好像非常了解埃里克一样，说："他休息就是那个样子。"

其他人可能会觉得埃里克在炫耀自己。但是这位神的儿子只是想和天上的父亲单独相处一会儿。只有神知道埃里克堕入情网了。埃里克旅行回来以后，赶快给母亲和洁妮发了一封信，里面写了一个特别的要求。他对感情的事情非常腼腆，所以要等收到他请求寄来的包裹以后，他才会公开自己的秘密——但是爱情故事通常不总是像预言那样写下去的。

1929年秋，弗罗伦丝开始上高中最后一年，她全心全意认定了一个目标：毕业以后，她和妹妹玛格丽特要漂洋过海回到多伦多[①]。她在那里将进入护士学校进修，而妹妹也要开始上大学。但是，这个计划险些受到阻拦，因为弗罗伦丝的法文考试不及格。

"埃里克，我真不知道怎么办。这个分数这么糟糕，护校肯定不会接受我的！"她对埃里克说，而他像往常一样，正在拜访弗罗伦丝的父母。他真的不忍心看到弗

① 多伦多：Toronto 加拿大东部安大略省的一个重要的金融城市。

埃里克·利迪尔 | Eric Liddell

罗伦丝泪流满面的样子。她一向都爱说爱笑，活泼开朗，会鼓励别人的呀！虽然他曾经安慰鼓励过心情沮丧的学生，但是面对这位他全心全意所爱的女子，这可是第一次。

"你绝不能放弃，连一分钟都不能这样想。弗罗伦丝，你要向我保证！"埃里克蓝色的眼睛盯着弗罗伦丝，直到她有气无力地点了点头。"现在，不要坐在这里懊悔了。来，我的弗罗丝小姐，咱们出去散步吧。"

埃里克开玩笑的时候，总是喜欢叫她弗罗丝。于是弗罗丝皱了一下鼻子扮个鬼脸儿："既然你这么说，好吧。等等我，让我拿件外套。"她恢复了轻快的脚步，几分钟以后，她和埃里克一起走到街上——单独在一起。

过了几个街口，埃里克突然停住说笑，一把将弗罗伦丝的手抓住："已经很久了，我想问你一件事。现在可能最合适，尽管还要等几年——"

"什么事，埃里克？"弗罗伦丝打断了他结结巴巴的话，用清澈明亮的眼睛看着他。

"你愿意嫁给我吗，弗罗伦丝·麦肯基？"他悄悄地问道。

弗罗伦丝伸出双臂圈住他的脖子，将他拉近自己。"我以为你永远都不会这样问我的！"她也小声地回答。埃里克用手捧着她的脸，轻轻地吻着她。

几个月以后，埃里克终于收到了那个让他翘首以待的包裹了。弗罗伦丝打开埃里克母亲和妹妹精心包装的首饰盒，看见里面是一只镶着五粒钻石的订婚戒指，不

埃里克·利迪尔
——Eric Liddell

禁高兴地流下眼泪。

"这个戒指是模仿我父亲送给母亲的款式订制的。"埃里克一边说，一边将戒指套入弗罗伦丝的手指，"你是我今生惟一的女人。"这时候，弗罗伦丝和埃里克终于可以公开和亲朋好友分享这喜讯了。

1930年夏，弗罗伦丝和妹妹按照计划，离开中国回到了多伦多。埃里克对她的信心，尤其是订婚带给她的喜乐，让她的分数直线上升。终于她被多伦多综合医院①的护士学校所录取。一年以后，埃里克也拿到了身为传教士的第一次年休大假。在返回苏格兰的途中，他先绕道加拿大去探访麦肯基一家。他们同样也非常期待着两人结婚的日子早些到来。

但是结婚肯定还要等上几年。像詹姆斯和玛丽一样，埃里克和弗罗伦丝订婚了很长时间以后，才等到结婚。

1931年8月31日，威沃雷火车站又一次热闹起来。6年前，爱丁堡多半的居民，在这里送走了他们民族最优秀的儿子。现在他们要用同样的方式欢迎他回家。虽然埃里克离开了，但是他们并没有忘记他。

报界对埃里克这次休假的行踪非常清楚：他将在苏格兰公理会学院修两个学期的课，以便可以正式成为牧师。学校源源不断收到各种各样的邀请函。实际上，要求和他见面的人如此之多，学校只好成立一个部门，专门处理信件和安排埃里克的时间表。

① 多伦多综合医院：Toronto General Hospital

第二年，每一个主日，他都应邀到各处的教堂当客座讲员，行踪遍及英格兰、爱尔兰和苏格兰。他的老友 D. P. 汤姆森以及其他学生福音同盟的骨干分子也不甘落后，抓住机会，请他出席在苏格兰的每一场聚会。还有爱尔撒·麦肯尼，和她那个仍然活跃的埃里克·利迪尔俱乐部，也要求和他们的英雄聚一聚。埃里克的父母能和儿子再次住在一起，觉得非常开心。就算他整天东奔西跑，他们也甘心情愿和那么多人分享他们的儿子。他们家的孩子都长大了，并且离开了他们，俄内斯特进了爱丁堡的商学院，洁妮也订婚了，来年的春天就要结婚，所以只要有机会和孩子们相聚，他们都乐意。

爱丁堡的教会领袖和体育界的朋友，为埃里克举行了"故乡欢迎你"的聚会。会上，埃里克慷慨激昂地介绍他生命里新的目标：

> 我们都是传教士，把我们的信仰随身携带。或者说，我们让信仰肩负着我们。我们所到之处，或叫人更认识基督，或叫人不要远离基督。我们为着伟大的神国努力工作，直到所有的世人转向基督，认他作王。我们永不惧怕，因为我们属于他。

在埃里克的讲话中，他也简单地提到了中国的局势，但是他把大部分时间都用来分享神的爱。跟他索取签名的人络绎不绝，他来者不拒，并且还不时地加上几个中国字。这几个字犹如他自己的象征："笑口常开"。他还是保持着当年奥林匹克冠军的风度：每一场比赛之前，都和对手握手预祝成功。虽然现在他改变了跑道，但是风格依然如故。

埃里克·利迪尔 Eric Liddell

119

的确，在埃里克休假期间，这几个字竟然改变了一个人的生命。当他告诉一个朋友这几个字的含义的时候，这个朋友立刻说："我认识一个女人，你一定要见见她。她最喜欢讲的一句话就是'笑口常开'——谁也不相信从她口中能说出这样的话。"

这个朋友接着就告诉埃里克有关贝拉①的故事。5年前在一场严重的意外事故中，她失去了一只眼睛，头上一大块头皮也被扯掉了，而另一只眼睛也面临失明的危险。经过一系列的植皮手术，贝拉还是经常感到剧烈的头痛，现在医生又警告她，说她有可能失去听力。每个月她都要回到医院，把那只视力尚存的眼睛上的眼睫毛拔掉，不然的话它们就会长倒，刺伤眼睛。尽管遭受这样的痛苦，她靠着对神的信心，可以毫无保留地跟人说"笑口常开"。听完这个故事，埃里克马上告诉朋友，他想尽快见见她。

他和贝拉在一起聊了一个小时，贝拉自始至终都拉着他的手。贝拉承认她这样做也是为了神的缘故，而且她也是埃里克的崇拜者之一呢。她最后说的话让埃里克永世难忘。"你知道，这个世界上还有比我更不幸的人。和他们比起来，我的遭遇不算什么。要是我听到有人为了繁琐的小事怨天尤人，我就会告诉他们，不要生在福中不知福。"

第二天，埃里克准备去伦敦。就在登上火车之前，他收到了贝拉的一封信，信里她表示对埃里克的拜访深

① 贝拉：Bella

感荣幸。就像神在所有的事情上都有预备一样，那封信来得正是时候。在行进的火车上，一个年轻人坐在埃里克的对面，脸上布满愁容。经不起埃里克三言两语的鼓动，他就滔滔不绝地诉起苦来了。

他的生活快要垮了，简直是一塌糊涂：工作丢掉了，女朋友也吹了。"我还能做什么，干脆自杀算了。"他用这样的话结束了吐苦水的漫长的叙述，然后用手抱住了头。

埃里克不想指出这个年轻人生活方法上的错误之处。他的个性并非如此。往往，他选择和他们先做朋友，而且他正好可以用贝拉的信来帮助他。于是，他从口袋里掏出那封信，对那个意志消沉的旅客说："请你看看这封信，一遍就好了。"

贝拉用那句熟悉的话"笑口常开"作结束语。但是从信里却也看不出特别之处来。那个年轻人迷惑不解地摇摇头。埃里克开始将贝拉的故事一字不落地讲给他听。

听完了这个故事，那个年轻人脸上的愁容马上舒展开了。接着他承认，他不仅对自己而且对神也失去了信心。贝拉的信就是她的功德，它带给年轻人新的希望，促使他继续往前走，寻找神在他生活中的计划。当那个年轻人在伦敦站下车的时候，他看上去和那个在爱丁堡上车的人判若两人。

埃里克心想，"即便我的休假到此为止，我想我也已经得到祝福了。"但是还有让他兴奋的事在后面呢。

埃里克·利迪尔 Eric Liddell

洁妮和查尔斯·桑莫威尔博士①的结婚典礼，将把难得团圆的利迪尔全家聚集在一起。罗比和他的太太及孩子千里迢迢，也从肖张赶来参加盛事。婚礼一结束他们就急忙赶了回去。

两个月之后，即1932年6月22日，利迪尔全家大部分人为了另一个庆典又聚集在一起：利迪尔在苏格兰公理会学院，被正式按牧（委任为牧师）了！

喜庆日子的过去意味着分手的日子来临。按牧之后，埃里克·利迪尔牧师第一次的长假也宣告结束了。他要在9月之前赶回天津，以便开始秋季学期的教学工作。回去的路上，他先在加拿大停留，顺便看望未婚妻弗罗伦丝。在过去的两年当中，他们相聚的时间只有几个星期而已。当然他们一直保持着频繁的通信联络。在威沃尔火车站，又一次出现感人泪下的送别场面。不过这一次多了一份骨肉分离的柔情。

玛丽揽住儿子，用粗糙的双手怜爱地捧起埃里克的脸："当年在中国的时候，我们最怕长久的别离——就像你现在体会到的。不要流泪，我们传教士要让每一次分别充满喜乐。"

我什么时候才能完全像她这样呢？埃里克想。"妈妈，您怎么样做到的呢？"看到母亲甜美的笑容，埃里克的脸上也展开了笑容。

"我们总是说，爱神的人永远会见面的②。所以我们让每一次分别成为下一次的相聚，明白了吗？"

---

① 查尔斯·桑莫威尔博士：Dr. Charles somerville

② 爱神的人永远会见面的：原文是 Those who love God never meet for the last time.

埃里克一边依偎着母亲，一边把手臂伸向父亲。他没有想到这是他最后一次拥抱父亲。他会永远牢记母亲的教诲。

埃里克和弗罗伦丝的又一次相聚，就像他期待的那样非常喜乐。受到麦肯基全家热情的接待，让他再次感觉到像是回到苏格兰的家中。在多伦多的时候，英国国家奥林匹克田径队正在那里进行训练，准备参加1932年夏季在洛杉矶举办的奥运会。埃里克访问多伦多的消息不胫而走，传到他们的耳中。于是他们邀请埃里克见面。埃里克非常高兴地接受邀请和他们见面，并且还答应接受记者采访。正在报道奥林匹克队活动的记者 R. E. 诺爱斯[1]采访了他。当他问埃里克是否后悔离开公众瞩目的焦点的时候，他权衡了一下回答说："哦，这个嘛，当然。"但他立刻补充说，"作为年轻小伙子，有那样的想法是很自然的事。但是我很高兴从事现在的工作。因为从中我觉得生命比以前更有意义。"停顿了一下，他开始引用保罗给哥林多教会[2]的信里的话说："哦，你知道，我们要得的不是能朽坏的，而是不能朽坏的冠冕。"

在回中国的旅途当中，埃里克的自信心比以前更强了。因为他知道等待着他的是什么。他会在新学书院继续教书，会在教堂继续侍奉。偶尔他也发个白日梦——想像一下和弗罗伦丝见面的那一天。不过到那个时候，

埃里克·利迪尔 Eric Liddell

---

① R. E. 诺爱斯：R. E. Knowles
② 哥林多教会：church at Corinth，请参见《圣经·新约》。

走上合众教堂地毯的她，将会是他的新娘子啦。

埃里克回到了中国。虽然局势充满危机，但是这并没有出乎所料。几年来，国民党的国民主义派和毛泽东的中国共产党派一直争吵不休。这时，蒋介石已经在南京建立了联合国民政府，继而他又想控制中国的政治命脉，这就是说他要掀起一系列反共的运动。

与此同时，日本开始在中国扩展疆土。1931年，它占领了满洲里，并日益增强它在中国北部地区的势力。1932年，日本向当时最大的远东海港——上海发动了数次进攻，几乎把整座城市夷为平地。虽然天津幸免于难，但是对埃里克来说，有些事情似乎不太妙。

自从1930年哈特博士退休以后，再加上利迪尔牧师离去，好像标志着这一辈传教士时代的结束。新学书院陷入一种迷茫的状况。本来哈特博士计划安排中国人做校长的继承人。他希望有朝一日，这个学校可以完全由非西方的传教士董事会来管理。不料两年之内，所聘请的新校长都因为和外国教职员工之间的紧张关系，已经换了好几任。

正是因为这种原因，埃里克休假回来，立刻多了好几件工作，有一些还是原校长哈特博士的工作。比如担任学院的秘书，负责处理来往信件，管理所有教职员和学生的档案，任学校体育委员会的主席，还要负责所有宗教方面的事情。这还不算，在业余时间里，埃里克决定要尝试一下给报社投稿。他想在伦敦差会的杂志上开辟一个专栏，用来激励未来的传教士们。因为他记得当初在爱尔撒姆学院的时候，在杂志上读过类似的专栏文章，正是这些文章坚定了他跟随父亲的脚步的决心。

另外一个让他一头扎进忙碌的事情当中的理由，就是把没有弗罗伦丝的日子打发得快一些。他就这样成功地让自己"熬"到1933年的秋天。

这是一个主日，他在合众教堂里，正读到《圣经》一句话，"我就常与你们同在，"忽然感觉到父亲和他在一起。他并没有看见父亲，只是觉得他在身边。第二天早晨，埃里克收到一封电报，通知他詹姆斯·利迪尔在苏格兰竹门镇的家中，坐在他最心爱的椅子上去世了。

巨大的悲痛淹没了埃里克。他禁不住质疑神，为什么会是这样。为什么神等到埃里克回到中国以后，才接走父亲。他身在万里之外，根本不可能回去参加追思礼拜，也不可能安慰他的家人。几个星期之后，他收到一封父亲去世前不久写给他的信。内容非常简捷，祝福埃里克的工作和婚姻美满。埃里克从信的含义中明白了，现在就是神要他在这个地方，为他工作，就像父亲工作了30多年一样。

就在埃里克收到父亲最后一封信的同一天，弗罗伦丝在多伦多通过了护士专业的最后一门考试。两个月之后，在她父亲先行离开以后，她和母亲也启程返回中国。

她们乘坐"加拿大皇后号"从温哥华出发，在海上航行了5个星期到达天津的外海。由于岸边的一股强风，使得港口的吃水线极度下降，所以她们的船只能徘徊在港外的海域上，无法进港靠岸。进港的轮船需要15

埃里克·利迪尔
Eric Liddell

英尺深的水先进入海口，然后才能靠岸。强烈的风浪不停地撞击着轮船，使船上的损坏程度越来越大。在这样的情况下，它能坚持多久呢？埃里克和未来的岳父豪·麦肯基[①]在岸上焦急地遥望着轮船，急切地想得到一切最新的消息。他们终于得到通知，港务局决定在只有3英尺吃水的港湾冒险引船靠岸。

多少个小时过去了，埃里克和弗罗伦丝终于重逢。他们急不可待地互诉各自的情况，拟定未来的计划，一直商谈到深夜。新学书院3月正好放春假，他们就决定将婚礼定在那个星期的周末。他们两个人4年的订婚"长跑"早就该结束了。

埃里克和弗罗伦丝的婚礼（1934）

1934年3月27日，埃里克和弗罗伦丝在天津的合

① 豪·麦肯基：Hugh Mackenzie

众教堂举行婚礼。这个消息当时在《京津泰晤士报》①
和《子林西报》②都上了头版新闻：

今天下午，著名的奥运冠军选手埃里克·利迪
尔牧师和尊敬的天津市居民豪·麦肯基夫妇的女儿
弗罗伦斯·珍·麦肯基小姐，在合众教堂喜结连
理。到场的中外嘉宾济济一堂。今早婚礼之前，他
们前去英国领事馆，经由英国大使 M. S. G 贝尔
主持，举行注册仪式。

婚礼的司仪是合众教堂的牧师埃里克·理查③
牧师，副司仪是墨道齐·麦肯兹④博士。他们一起
为两位新人系上"喜结良缘"彩结⑤。麦肯兹博士
已在中国居住了四十三年，曾为新娘受浸洗礼。在
歌剧《罗安格林》⑥的《婚礼进行曲》中，新娘挽

---

① 京津泰晤士报：Peking and Tientsin times（1894 年 3 月 – 1941 年），又译《天津
时报》，英国建筑师裴令汉（William Bellingham）在英租界工部局的支持下创
办。初为周刊，1902 年改为日报。1941 年太平洋战争爆发后停刊。邵飘萍曾为
该报撰写文章。爱泼斯坦曾在该报担任编辑。（摘自维基百科）

② 子林西报：North China News。上海的英文报或者说整个报业的鼻祖是 North –
China Herald（《北华捷报》，1850 – 1951），1850 年由英国商人 Henry Shearman
创办，为周报。1864 年，因关于船舶及商业的材料日多，单出 North China Daily
News（《字林西报》，1864 – 1951）日报，而《北华捷报》转为《字林西报》
的星期附刊继续刊行。1851 年，North – China Herald 第一个报道了太平天国运
动，而且让该报倍感荣幸的是，像李鸿章这样的中国高级官员经常通过译文阅
读。1859 英国驻沪领事馆指定该报为本馆及其商务公署的文告发表机关，因
此有"Official British Organ"之称。《字林西报》（及前身《北华捷报》）在其
100 余年的历程中，始终以全面、权威、立论独特赢得了广大的西人、华人读
者，不愧为近现代在华英文报刊的领袖。（摘自《英文学习》2003. 2）

③ 埃里克·理查牧师：Rev. Eric Richards

④ 墨道齐·麦肯兹：Dr. Murdoch MacKenzie

⑤ The nuptial knot：请参下页照片

⑥ 《罗安格林》：Lohengrin

埃里克和弗罗伦丝的婚礼

（1934）

着父亲的手臂走进礼堂，并由父亲将她交托给新郎。

　　新娘身穿母亲当年结婚时穿的白色绸缎礼服，白色头纱上点缀着橙花枝串，手里捧着一束粉红色的康乃馨。新娘的头纱是新郎的妹妹利迪尔小姐婚礼时候佩戴的。新娘的母亲豪·麦肯基女士身穿滚边的黑色乔其纱礼服，头上戴的黑色礼帽与礼服很般配，手中的捧花也是粉红色的康乃馨。整座教堂用鲜花和枝叶装饰，看上去典雅大方。

　　结婚典礼之后，在位于剑桥路70号新娘的家中设有招待茶点。这对幸福伴侣的很多朋友前来道喜。大厅里，一座银色的吊钟用蕨草和粉红色康乃馨所装饰，迎接着贵宾们。

一年零几个月以后，他们的大女儿出世了，取名叫帕翠莎。埃里克看着蓝眼睛、顽皮淘气的女儿，心里充满了希望，但也多了些忧虑。新学书院的工作，他的学生，他生活的目标——他曾经对这些如此有把握，但是，结婚以后的这几年，他自己和周围的世界都发生了很大变化。

埃里克和弗罗伦丝结婚
的教堂——合众教堂

埃里克·利进尔｜Eric Liddell

第 十 一 章

1935 年～1939 年·中国·天津—肖张

　　20 世纪 30 年代初期，国民党和共产党之间的内战爆发了。中国农民阶级的英雄毛泽东和周恩来，和以前曾是军人的朱德联合在一起，开始采用游击战的策略，把国民党的军队引诱到陌生的农村地带。蒋介石领导的国民党，由于不熟悉环境，屡屡惨败，逐渐被红军所歼灭。

　　但是，蒋也不是那么轻易言败的。1934 年，他不惜竭尽全力，对共产党的根据地进行封锁和围剿。为了突破重围，红军开始了著名的两万五千里长征，北上到达陕西省，建立新的根据地。

　　只有更重大的利益冲突才能让两个如此敌对的军事力量再度联合。只有像日本这样的敌人，才能让两个固执己见的领导人同意暂时放下敌对情绪，联手对外抗战。自从 1931 年日本占领满洲里以后，它一直在虎视眈眈中国其他省份。国共两党混乱的内战，更助长了日本人的侵略扩张的气焰。1935 年，日本人开始从北京以北的长城渗透，几乎未遇到任何抵抗。直至 1937 年，北京卢沟桥畔发生了一起小的冲突，促使两党一致开始对外宣战。一个月之后，毛和蒋两个死对头成立了统一哥哥来信的热情。伦敦差会那边也没有改变他们的决定。到 7 月的时候，教会决定暂停埃里克在学校的工作，调他到农村的传教基地实习 4 个月。埃里克只好服从教会的决定。

又一个夏天，他和弗罗在北戴河度假。这时候一岁大的帕翠莎已经开始学走路了。在埃里克给母亲的信里，满篇都是关于她孙女成长的故事，希望她早日能见到她的孙女。弗罗这时又怀了孕，已经 3 个月，可埃里克要等漫长的 3 年才可以拿到下一次的长假。

9 月，埃里克离开天津，独自前去肖张进行实习工作。弗罗伦丝和帕翠莎留在了天津，但是她们始终在埃里克的心中。

一辆破烂的骡车载着他行驶在去肖张的颠簸不平的灰土路上。在座位里颠上跌下，埃里克觉得他的胳膊和腿都在酸痛。他多么渴望能够下车舒展一下身体，多么希望赶快返回天津啊。

不出所料，旱灾和战争的痕迹到处可见。庄稼没有被人毁掉的也被蝗虫吃掉了。地里根本没有收成，很多农民食不果腹，有时候为了抢到食物，不得已互相残杀。饥荒和瘟疫四处蔓延。

肖张村的那扇泥巴大门在望了，埃里克告诫着自己：我不是乡村牧师。我是老师。我曾在这里生活过，但并不意味着我知道怎么帮他们。神啊，为什么，为什么我要在这里？

其实，在他离开天津之前，弗罗伦丝已经回答了这个问题。她并不了解那个奥运英雄的埃里克，但是了解她的丈夫。"埃里克，既然你知道在主日参加赛跑是错

埃里克·禾廷分 Eric Liddell

133

的，那么你就应该知道，神召唤你而你不服从，这也是错的。你没有其他选择，惟有遵从。"

这时候，肖张村大门口上挂的那条横幅映入埃里克的眼中，那是"义和拳起义"平息不久以后挂上的，曾经对他父母的那一代传教士意味深长。现在尽管横幅上的油漆痕迹斑斑，但是字迹却依然可见：中外一家，就是中国人和外国人都是一家人。埃里克此时不禁产生疑问：这句话是真的吗？

30年过去了，肖张的百姓没有忘记埃里克，他们仍然记得他的父母曾在这里让人钦佩地工作过。"李牧师，你回来啦，谢谢你！"他们欢呼着围上他。"李牧师"，多少年前他们是这样称呼他父亲的。"李"是利迪尔的简称，"牧师"是指他的职份。

"你来这里，我也很高兴啊。"一个熟悉的声音从后面大声喊着。

"你没忘了，我也在这里工作吧！"安妮·布蝉的声音插了进来。"我们写了这么多封信，祷告了这么长时间，你终于来了。"

埃里克转过身子，紧紧地抱住哥哥罗比问候，然后又揽住安妮问好。虽然他离开了自己的家，但他并不孤单。他奇怪地发现，心里那种绝望的感觉消失了，取而代之的是源源不断的喜乐。的确，这里需要他；的确，他回家了。

后来，在弗罗伦丝给D. P. 汤姆森的信里，她这样告诉他埃里克改变了主意：

　　经过对所有事情多方面的考虑，他感觉到神要他到农村去。我也认为他作的决定是正确的。他热

埃里克·利迪尔 | Eric Liddell

　　爱那里的工作，健康也有所改善，重新焕发出活力。

　　埃里克回到天津之后做出了最后决定。夏天，他们一家人再次来到北戴河，包括家里新的成员，婴儿海瑟。埃里克将被正式委派农村传教士的职务，而两个孩子和她们的母亲将继续留在天津的法租界里生活，目前来看那里仍算安全。

　　埃里克尽量不去想他所放弃的，而是把全部心思都放在将来的工作上。他要协助哥哥以及其他几位传教士在医院的工作，在人手极为缺乏的时候，他也需要做些基本的看护工作。当然作为牧师，他要跟随父亲的脚步。他已经看到父亲那大大的足迹，而他自己的脚又是多么幼稚无力。

　　他要像他父亲一样，给绝望之处带来希望，与百姓同甘共苦，同喜同乐，用他那并不流利的中文，将神的爱传扬出去。是的，这就是神要埃里克做的。

　　他在人生道路上，兜了一个大圈儿，又回到了原地。

　　那一年，埃里克正式辞职离开新学书院，被转派到肖张做牧师。他走了以后，学校在当年的年度报告里这样称赞他：“在科学自然课和体育课方面，我们怀念他。但是我们对他的怀念远远超出我们所能表达的。”的确，1937年春天发生了两件重要的事情，不仅使学校在年报里大写特写，而且也为埃里克在天津13年的生活画上了句号。

　　第一件事，华北地区田径锦标赛在民园运动场举行。埃里克曾经热情地参与民园运动场的设计和建造工

埃里克·利迪尔　Eric Liddell

135

作。看到自己的"男孩子们"能在这样的地方参加比赛，就是对他最大的称赞。更重要的是，在他离开学校之前，49个孩子接受洗礼，其中还包括那几个心底顽固的死硬派分子。

圣诞节前夕，埃里克到达肖张，迎接他的并没有什么喜庆的气氛。到处充满着的凄惨和恐惧，让他感到触目惊心。虽说传教士们多年在这里传福音，大多数农村百姓们还是信奉他们自己的神，其中包括"灶王爷"。每年在中国的新年（春节）前夕，他们要把头一年灶王的画像烧掉，烧之前还要在他的嘴巴上抹糖，好让他见到玉皇大帝的时候，讲主人的甜言蜜语。

在华北大平原上，星罗棋布的一个个小村庄里居住着成千上万的人。土匪、日本兵经常骚扰他们，游击队也常光临村舍，还有旱灾的侵袭。很多在埃里克记忆中的农民的家园已经毁掉，通常几户人家要一起住在一个简陋的棚子里。

埃里克工作的地区相当于英国威尔士郡的面积那样大。他以肖张为中心，徒步或骑自行车，从一个村庄到另一个村庄，巡回布道。冬天忍受着刺骨的寒冷，夏天头顶着炽热的骄阳，所到之处，从远方或近处传来步枪和机关枪的声音。有时他走进村庄以后，看到的只是被烧毁的房屋和遍地的尸体，还有惊吓过度目光呆滞的幸存者。

为了解决语言沟通的问题，他找到一位叫王丰周（译音）的翻译和他同行。每到一处村庄，他们要先受到放哨的盘查，让他们辨认在小黑板上写下的几个中国字（只有住在大平原的人知道这些字的意思），然后才让他们进村。王翻译非常机警，往往能够提前发现村子里是否有日本人，于是他们就要改变那天的计划，到不同的地方去。埃里克通过王翻译说服了很多村子里的老人，把他们从清朝遗留下来的长辫子减掉，以保护他们的性命。因为日本人残害中国百姓的手段之一，就是用他们自己的辫子把他们吊死。村子里看不见45岁以下的年轻人，因为他们都被国民党军队捉去当了兵。

埃里克只有用希望的信息——来自神的话语，加上他动人的感染力和宽慰的笑容，来帮助这些人。实际上，当他走过乡村小路或是在村子的门口，无论是碰到游击队队员或是日本鬼子的岗哨，检查良民证和武器的时候，他的笑容已经成了他的"通行证"。他对各样的搜身，总是礼貌耐心，报以特有的笑容 。所以，每一次他都毫无阻拦，顺利通过。

但是，危险比比皆是，战斗日复一日。一次，在离肖张不远的一个村里，几个传教士聚集在一起主持为村民们受洗的仪式。星期六晚上，他们听到密集的枪声，星期天一早，日本人的飞机就在村子上空盘旋，预示着一场袭击即将来临。

当埃里克开始主日礼拜讲道的时候，飞机开始向村里教堂不远的地方投掷炸弹，爆炸声响成一片。他看上去从容镇定继续讲道。紧接着一队卡车攻入村庄，他们可以听到日本兵的皮鞋声，在搜查每一所房屋。这时候，毫无畏惧的埃里克高声唱起诗歌来，很快其他的人也随声附和，歌声在小教堂里回响。日本兵冲进教堂，四处看了看就离开了。

主日礼拜结束以后，住在村子里的人赶快往家里跑，估计家里的情况一定不妙。好在这次日本人是在追剿土匪，并没有兴趣掠夺这个村庄。所以炮火虽然猛烈，但财产物品的损失不太大。

那天晚上，没有一个村民前来参加晚上的聚会，但是埃里克和同事们仍然留在那里过夜，准备等到天亮的时候再返回自己的家。突然，门外传来一种声音把他们吓得跳了起来。这时教堂的门慢慢地开了，一个人手提灯笼走了进来。原来这是村里的一个大烟鬼，只见他扑通一声跪在传教士们的跟前。

每个人都以为这人被关在监狱里。他被抓起来，被审讯，但是却奇迹般地被释放了。在他被审讯的时候，他向神祷告救他，后来就被宣布无罪释放。这个瘾君子刚刚回到村里，没有碰上白天的那场轰炸和袭击。重得自由和新的信仰让他感到非常兴奋，现在他只想到教堂参加崇拜。

这下埃里克可有了听他讲道的"会众"，所以晚上的活动也就照常进行了。

但是，埃里克也有失败和爱莫能助的时候。一次，他和王翻译来到一个村庄，想向一位坐在门口的老人家传道。没想到碰上日本人正在搜查他的屋子，日本人问他一些问题，他拒绝回答。那个日本人出来以后，招呼老人过去，朝他脸上就开了一枪，当着埃里克和王翻译的面，杀死了这个老人。傍晚，埃里克回到传教基地，脸上仍然带着悲泣的表情，他对安妮说："我就站在那儿，眼睁睁地看着发生的事情。事后我想，要是神会怎么做呢？"

1938 年的夏天快到了，罗比和他的太太，还有女儿到了该休长假的时候。"罗比医生"在这里已经工作了很多年而从未休过假期，最近他的身体有些欠佳。安妮继续留在这里，但是医院缺少了一位医技高明的医生。埃里克当然不可能替代这个位置，他只懂一些急救措施，擦擦碘酒之类的，但是也暂时充当了哥哥的角色。

离开家人 8 个月之后，埃里克再次和她们相聚，并一起来到北戴河度假。他稍事假期，就立刻返回了肖张。在他接管肖张基地以后，基地医院就成了名副其实的"急救中心"。埃里克不管什么样的人，一律接受。不管是日本人、中国人、敌人的士兵还是游击队队员，甚至土匪也来者不拒。有人质问埃里克，他怎么可以这样子做事呢？他回答说："他们（病人）既不是日本人，也不是中国人，既不是士兵，也不是老百姓。他们都是基督为之舍命的人。"在提供医疗服务的同时，埃里克的心里也想着怎样为他们提供属灵的课程。每当附近的村庄被炸弹严重袭击以后，数百名逃难的老百姓就会涌入基地，寻求临时的庇护。往往在这里，他们得到的不仅仅是庇护而已。

同时，安妮·布蝉也在帮助医院成立一个婴幼儿门诊，以便降低当地日益增长的婴儿死亡率。当地的妇女在每天辛苦生活的压力下，没有办法照顾或喂养新生的婴儿，这些婴儿往往因饥饿而死亡。医院修建起一个厨房，用来制作那些给婴儿提供的豆浆。豆浆是用黄豆榨成汁，加上钙和糖而制成。这种调制而成的合成食品，廉价而且有效，救活了许许多多的小生命。

尽管传教士们这样努力的工作，肖张传教基地还是面临倒闭的危险。1939 年，日本人把膏药旗插在基地的

埃里克·利迪尔 Eric Liddell

139

门口，想把老百姓们吓跑。这似乎也奏效了。但是，敌人的公开挑衅并没有吓倒传教士们。日本旗挂上不久，安妮·布蝉也离开了肖张，她迫切需要一段时间的休息。一个月以后她回到肖张的时候，却惊讶地看到，一面苏格兰旗飘扬在传教基地的上空，当然，只有几个小时而已。日本人并不喜欢这样的恶作剧，限令他们作出解释。埃里克解释说，那只不过是为了"欢迎可敬的护士长归来而开的玩笑"，日本人这才罢休。

显而易见，日本人非常希望类似埃里克这样的传教士早日离开肖张，这样他们就能完全把整个地区控制在手里。但是他们却不能阻拦埃里克完成他的使命。

每当基地的燃煤快用完的时候，就需要人赶着牛车，跋涉 400 里地到天津取到买煤的资金，买到煤以后再从德州安排驳船把煤运回肖张。尽管旅程艰险、任务艰巨，埃里克并不介意，因为他可以借机看望仍然生活在天津的弗罗和孩子们。在 1939 年冬天的这次特殊的旅行当中，埃里克毫无困难地走完第一段路程，在天津住了两天，但是当他到达德州的时候，遇到土匪抢劫，车上的煤丢掉一半。过后没多久，又碰到另外一群土匪，抢光了剩下的煤。无可奈何的埃里克只好再次返回天津，重新要些买煤的钱。

埃里克把钱藏在一个挖空了的面包里，然后坐火车到德州。没想到又遇到游击队扒铁路，埃里克和其他乘客不得不在寒风中等了 24 个小时。后来他还是到达了德州，将煤安全运回肖张。这次旅途把埃里克折腾得精疲力竭。回到传教基地以后，又有一个他最不想听到的消息在等着他：他们的医疗用品也频频告急。所以两天以后，埃里克又出发去天津购置医疗用品，这一次他乘的是骡车。

半路上他来到一家小旅馆住宿，有人告诉他附近有个受伤的中国士兵，躺在一个被废弃的破庙里已经 5 天了。老百姓都害怕日本人的报复，不敢走近他。这不难理解，因为当中国游击队深入到日本人的地盘的时候，日本人就采取臭名昭著的惩罚政策来对付敢于和他们联络的老百姓。通常他们烧掉百姓的房子，然后随便选出一些壮年人来砍头。埃里克心里也很害怕，但是他知道，他今晚在这里停留不是偶然的，或许他可以救这位可怜的士兵一命。于是，他让驾车的车夫陪他一起（车夫之所以愿意与他同行，是因为他觉得和神的人在一起比较安全）找到了那个肮脏不堪，老鼠成群结队出没的破庙。有些老百姓已经偷偷摸摸地给士兵弄了一些破垫子，让他躺在上面，但是埃里克很清楚，这样下去，他是活不了多久的。埃里克答应那个士兵第二天一早再来。他需要今晚认真考虑一下营救他的最好的、周全的方法。

那一夜，埃里克跪在地上祷告了许久，寻求神的带领。万一日本鬼子发现了，让他停下来怎么办？他们肯定会发现那个人是个伤兵，结果他可能给全村的人带来极大的危险。救一人而让全村的老百姓蒙受危险，值得吗？他从书包中掏出《圣经》，翻到路加福音十六章第十节："人在最小的事上忠心，在大事上也忠心；在最小的事上不义，在大事上也不义。"埃里克现在完全明白，神要他去做什么了。

第二天早上，埃里克和车夫一起赶着骡车向破庙进

埃里克·利迪尔——Eric Liddell

发。快到破庙的时候，忽然看见有个不认识的人在村口朝他们挥手，让他们赶快走开。埃里克和车夫刚找到一处安全躲藏的地方，几分钟以后，只见一队鬼子兵开了过去。他们明白了当时有多么危险：要是给日本人碰上，肯定会被盘查追问的。

鬼子兵开过去以后，埃里克和车夫搀扶那个受伤的士兵上了骡车，驾车返回肖张。这下医院只好再忍受几天供应中断的日子，但是埃里克的"历险记"还没完呢。

就在他们回肖张的半路，一个农民告诉他们，附近的棚子里有另一个受伤的人倒在地上，要赶快救他去医院。他们赶到那人的身边，发现这个人的脖子上裹着厚厚的破布，上面浸透了鲜血。原来，这个农民和其他5个男人一起，被日本鬼子从家里拖了出去，盘问以后就要被处决。其他的人老老实实跪在那里，让日本人砍了头。这个人非常倔强，就是不下跪。气急败坏的日本人抽出战刀，朝他头上砍了一刀，他应声倒地，伤口致命看上去没救了。日本军队撤离以后，村民们发现尽管他的头和身子几乎分开了，但他还活着。

埃里克和车夫又把这个受重伤的人抬上骡车，匆匆往回赶。在回肖张的18里路上，日本人的飞机一直在他们头顶上盘旋，约一里之外传来猛烈的炮弹爆炸声——轰轰隆隆回响在空中，震撼着大地。他们正在经历着从未有过的危险。虽然如此，神却一路与他们同在。他们终于回到肖张，赶快为这两个伤员进行医治。

不幸的是，两天以后那个中国士兵因伤势过重死亡，而那个农民却活了下来。埃里克稍微休息了一阵，又赶往天津筹备医院所需的供应，这一次倒是平安无事。埃里克心想，虽然处处有危机，但是处处也有神迹。

后来埃里克才得知，原来他救的那个农民——那个不让日本人杀死的人——是天才艺术家李兴笙，擅长画牡丹。为了答谢埃里克的救命之恩，他送给埃里克一幅牡丹图。埃里克非常喜欢，并将那幅画刻印制成版画，送给亲朋好友。爱尔撒·麦肯尼也得到了一幅作为结婚的礼物。

牡丹图——被埃里克救的农民画家送给他的画

（1938）

埃
里
克
·
利
迪
尔 ｜Eric Liddell

1939 年夏，埃里克回到天津与家人团聚，并准备回英国休长假。埃里克离开传教基地很不容易，肖张那里的局势极为动荡。埃里克担心地想：回来以后不知道那里会成什么样子。但就目前而言，他很高兴离开天津。日本人已经占领了天津这个重要的海港城市。铁路，邮局和报纸也都落在日本人的控制之下。日本人为了得到资金来继续这场战争，他们用海洛因和廉价的日本货充斥着天津市场。

当埃里克和全家人安全地登上横渡太平洋的轮船时，他的心里放下了一块石头。他们将经过夏威夷，先到温哥华，然后坐火车到多伦多。中国已经不适合他年幼的女儿们居住了。

埃里克·利迪尔

Eric Liddell

第 十 二 章

1939 年~1941 年·中国·肖张·天津

在夏季将要结束的时候，埃里克独自离开加拿大前往苏格兰。弗罗伦丝和孩子们很开心地暂时住在麦肯基的家里。弗罗伦丝的父母第一次见到外孙女们，心里也非常高兴。埃里克要先回苏格兰，因为很多事情在等着他。除此之外，一场世界大战迫在眉睫，战争将要带来的一切是可想而知的。他既不想让家人遭受不必要的危险，也不想让自己置之度外。

那年早些时候，也就是埃里克和弗罗伦丝正在商量休长假的时候，德国的希特勒①已经拟定计划，准备向波兰发起突然袭击。当利迪尔全家到达加拿大领土的时候，俄国的斯大林②和希特勒就波兰问题签订了《德俄互不侵犯条约》。谁知希特勒刚一签完协议，就立刻开始围攻这个东欧国家。当埃里克准备离开加拿大前往苏格兰的时候，英国和法国在别无选择的情况下，于 1939 年 9 月 3 日向德国宣战。

埃里克和母亲、妹妹洁尼和她的先生查尔斯，弟弟俄内斯特一起欢度了圣诞节。罗比报名参加了皇家炮兵

---

① 希特勒：Adolf Hitler
② 斯大林：Josef Stalin

埃里克·利迪尔——Eric Liddell

部队，正在受训当中。而俄内斯特同样也在受训，他将成为炮兵部队的中尉。埃里克决定也向部队当局申请以自愿者的身份为国效劳。他想应该申请一个合乎自己角色的位置：既有英雄般的运动生涯，又有在中国做传教士的冒险精神。所以，他希望加入皇家空军部队成为战斗机驾驶员。

皇家空军部队给他的回信，并没有带来他所期待的消息。他们说考虑到他的年龄偏大，已经不适合开战斗机了，但是可以给他提供一个行政的位置。此时埃里克虽然已经 37 岁，他还像几年前那么结实。苏格兰的朋友觉得他看上去比实际年龄要大些，这是因为他常年在肖张骑车奔跑在乡村之间，使他看上去消瘦，但是肌肉却十分发达。埃里克在回复皇家空军的信里这样写的："如果你们只能让我在办公桌上忙忙碌碌的话，那么我还有更重要的事情去做呢。"

弗罗伦丝带着女儿们于 1940 年 3 月来到爱丁堡与埃里克团聚。接下来她们和玛丽·利迪尔一起愉快地生活了 5 个月。玛丽第一次见到帕翠莎和海瑟，能在这段时间里和她们多亲近，使她觉得非常享受。时光飞逝，利迪尔一家准备离开英格兰返回加拿大。他们都知道这趟旅行非常不容易。因为英国已经参战的事实将会使这趟海上旅行充满战争的阴影。

埃里克、弗罗伦丝还有孩子们乘上一艘小汽轮。这艘汽轮与其他 49 艘轮船一起组成了大规模的船队。他们的船刚一驶出爱尔兰海岸，就被一颗鱼雷击中。幸好鱼雷并没有爆炸。船队的另外一艘却被鱼雷击中，不久就沉没了，于是所有剩下的船排成 Z 字形纵队，连续 3

天高速行驶，以便避开敌人的袭击。

　　星期日在船上，埃里克应邀主持早上的主日礼拜。他意识到自己的穿着并不像个牧师，所以他用这样的开场白说："我穿的是绒便装和运动外套，希望大家不要介意！"经过了很多天的紧张气氛，船上的乘客和船员们听到这句话，不禁开怀大笑了起来。然后埃里克继续讲了下去，谈到感恩的真实意义。

　　当他们的船最终到达加拿大的新斯科沙省①港口的时候，他们才震惊地得知，就在他们离开英国两天之后，德国政府宣布英国的外海属于"密集作战区域"。这时，又发生了一件让埃里克和弗罗伦丝吃惊的和他们直接相关的事。在船就要靠岸之前，他们发现两个女儿的脸上出现一些疹子。原来，帕翠莎和海瑟染上了德国麻疹（风疹），这是一种传染性极高的儿童疾病。为了这个缘故，他们在当地找不到一家旅馆愿意收留他们住宿。无可奈何，他们只好回到船上休息，却发现所有的寝具都被撤掉了。

　　黑夜里，埃里克和弗罗伦丝坐在空荡荡的船上，讨论着他们现在的光景：他们在鱼雷攻击下幸免于难，又从世界级的作战中避开，这使他们更加坚信，神保留他们和女儿们，是为了叫他们重返中国。

　　他们只走神给他们指出的路，只有从神那里得到力量、智慧和勇气，他们才能走上这条路。

　　1940 年 10 月，他们回到天津，发现已经完全不认识这座城市了。日本为了向德国表示愿意结成同盟，用

---

① 新斯科沙省：Nova Scotia，加拿大东部海洋省份之一。

军队把法租界团团围住。这些日本兵对任何西方人都表示公开的敌意。尽管这样，弗罗伦丝和两个女儿只能继续住在法租界里。而且只要伦敦差会不宣布撤离，只要埃里克仍然在肖张工作，他们也不愿意离开那里。

埃里克离开天津回肖张。在接近基地的时候，他震惊地倒吸了一口冷气。日本人在村子周围修建了一圈城墙和岗楼，派兵镇守。埃里克称那是"帝国主义的前哨"。那些曾以肖张为家的老百姓们，现在却像奴隶一样，被迫每天出去拆毁田园和墓地，为敌人修建公路。

村内基地医院的情景同样也很可怕。因为日本鬼子有计划的扫荡，附近的村子一个接一个被摧毁。每当一个村子遭到袭击的时候，在战争中受伤的人就塞满了医院的每一张床，甚至在简陋的走廊上也到处是伤员。传教士们夜以继日地消毒器械，换洗包扎伤口，除此之外，还要忍受日本人突袭搜查。难民们需要的粮食就快没有了，但是不管传教士怎样乞求，地方上的乡绅们也不理睬。

"我们求他们给难民们一些粮食，他们不要说米了，就连做米的锅也不借。"一个传教士向埃里克抱怨说，"他们眼睁睁地看着我们照顾他们的同胞。我们已经照顾了成千上百人，可还有更多的人没办法来到我们这里，那些人又怎么办呢？"

埃里克回到肖张以后，在王翻译的陪同下继续着巡回牧师的工作。在给家人的一封信里，他这样写道，"我出去就是给予、给予，一直这样。我尝试着了解这里的老百姓，在没有外在的平安的时候，给他们的心里带来鼓励和平安的信息。"

每次进村之前，埃里克发现总有一位老人家坐在村口。原来他在这里是为了给村子放哨。一发现危险情况，他就用一种秘密的方法来通知村里的人。埃里克和王翻译被允许在大多数地区自由来往，包括肖张西南边的村子。有一次，埃里克甚至在连续不断的枪炮声中，为一对新人举行了婚礼。虽然参加婚礼的人在整个过程当中，要一直保持沉默，但是埃里克还是能够察觉到新婚夫妇幸福的样子。

在埃里克和王翻译回肖张的半路，日本人以为他们是"八路分子"，就向他们开枪追击。他们急忙丢掉自行车夺路而逃，到处寻找藏身的地方。幸好身后的枪子儿并没有打中他们。后来日本鬼子发现搞错了，就停止了追赶。埃里克和王翻译这才安全回到基地。

传教士们能在这里工作的时间不多了。1940 年圣诞节的时候，传来消息说，日本人不久要强迫所有的西方人离开中国。也有消息说，要把他们都关入集中营。很多人不愿意离开，安妮就是其中一个不想回苏格兰的人。她觉得中国还需要她。当她察觉到埃里克也情同此心的时候，就把她的计划告诉了埃里克。

"我决定向日本长官请求调到其他地方去。"一天晚上当他们在医院做清洁的时候，她说。

"你知道他们是不会批准的，安妮。日本人想把我们全部赶走。这很明显，是不是？他们频繁地袭击、搜查，醉酒闹事的士兵到处都是。"埃里克十分忧虑地说，"再说，你又能上哪儿去呢？"

安妮直视着他的眼睛，说："去北京，去协和医院。是的，我已经仔细考虑过了。我知道继续留在华北大平原是很危险的，但是我又不想离开。在大医院里，战争的时候会非常需要人手。我觉得战争不会那么快结束，因为美国还没有表态呢。"

埃里克疑惑地看了她一眼，但是毫不怀疑她可以应付一切挑战的能力。一个月后，日本人忍受不了安妮不停的软磨硬泡，终于让这个瘦小、意志坚强的苏格兰女人到北京去了。条件是要她保证永远不回肖张。

两个月以后，即1941年2月，日本人确保没有任何人再来肖张之后，开始实行下一步计划。日本政府发布命令，要传教士们在两个星期之内，打好行李离开基地。两个星期以后，他们又告诉传教士们说，除了随身衣物，什么也不许带走。

埃里克和传教士们不得已离开村庄，沿着尘土飞扬的小路，走到火车站。从那里搭火车回天津。在路上，埃里克回头看了看已经被日本炮楼侵占的基地，耳边响起他所爱的那些人的声音——"去问李牧师，"他们整天都这样说，还有"李牧师知道咋办"。他心里知道，他永远也见不到他们和肖张了。

几个星期以后，消息传到天津，日本人摧毁了肖张的一草一木，肖张已经被夷为平地，成为一片废墟。

几年以后，安妮曾问埃里克，在那样恶劣的环境和战争的威胁之下，是否后悔回到肖张。"永远不会。"埃里克说，下巴上的酒窝在他消瘦的脸上更加明显，"我从来都没有像在那里那样喜乐过！"

埃里克回到天津，心里喜忧参半，高兴的是可以和家人重新聚守，难过的是肖张已经不复存在。这时候他心里也十分清楚，他和弗罗伦丝在一起的时间也不多了。3 月，传说中所有在华居住的英国人和美国人都将被关入集中营的消息，现在终于得到了证实。埃里克和伦敦差会董事会商讨以后，一致做出决定：趁着环境许可，弗罗伦丝和孩子们应该返回加拿大。

夸张地说，投这决定性一票的是一位不在场的人。弗罗伦丝发现她又怀孕了，婴儿将于 9 月出世。埃里克和董事会都不敢确定，到那时候会出现什么情况，但是所有迹象都表明，局势将会每况愈下，越来越糟糕。

埃里克为家人订了回加拿大的船票。5 月份，到了埃里克和弗罗伦丝及两个女儿告别的日子。像其他来到码头和妻子儿女话别的传教士家庭一样，埃里克希望很快就能去加拿大和他们团聚。但是他心里非常明白，作为一个传教士，他的位置应该在中国。

埃里克吻着弗罗伦丝的黑色卷发，柔声说："爱神的人永远不言再见。"埃里克永远牢记母亲智慧的话语。他确实也不会相信，这是最后一次在这个世界上见到弗罗伦丝。像过去多次分手一样，这次别离的痛苦几年之后就会从记忆里消失了。

埃里克回到天津以后，一位可贵的老朋友邀他一起住在法租界内的公寓里。这个老朋友就是当年埃里克在爱尔撒姆学院时候的老师和精神上的导师、后来成为新学书院同事的 A. P. 库伦。库伦巴不得有这样的机会，请一个"失业"的传教士住在家里。在以后的 7 个月里，他们两个人有充分的时间或是促膝交谈，或是进行两个人都喜欢的户外散步运动。白天 A. P. 库伦去学校上班以后，埃里克就在家里伏案疾书。除了给弗罗伦丝写信，他还在继续多年前开始写的一本书。埃里克将这

埃里克·利迪尔 Eric Liddell

151

本不厚的书拟名为《基督徒门徒训练手册》，可以给中国的牧师当作指南。

这本手册包括 60 页读经的内容，还有全年每一天的读经解释。从中能看出埃里克行事为人的一些品质。在其中的一页上，写着他多年如一日的灵修要点，他称为"每日清晨默想"。每天早上，他要问自己以下的一些问题：

1. 在新的一天里，我是否完全降服在神面前，我是否寻求和遵从圣灵的带领，度过每一分钟？

2. 今天早上，有什么要特别感谢神？

3. 我的生活当中是否有罪，需要神的饶恕和清洁？是否需要向别人道歉或作出赔偿？

4. 神要让我为谁祷告？

5. 今天早上阅读的经文，在我生命中有什么样的负担，神要我如何去行？

6. 神要我今天做什么，怎样去做？

埃里克继续不断地感谢神：不论在爱丁堡、在天津，还是在肖张的时候，神都回答了他提出的问题。9月，他为另一件事情感谢神，这就是他收到弗罗伦丝的电报，告诉他又一个女儿出世了，取名叫莫芮。

"真是好消息。爱你的埃里克。"这样一封简洁的电报无法表达他心里真实的感情。他真的等不及了，巴不得战争早点儿结束，他好快点儿抱住新生的女儿。

但是，战争远未结束。12 月爆发了日本偷袭珍珠港的事件，其影响对居住在中国日本占领区的人非常重大。珍珠港事件意味着埃里克即将结束他所熟知的生活，即将踏上他赢得最后奖赏的跑道。

第 十 三 章

1941 年 ~ 1943 年 · 中 国 · 天 津—潍 县

　　日本偷袭珍珠港事件的几个星期之后，埃里克被迫离开在法租界的家。尽管发生了这样大的变动，他还是尽量找些事情来做，不让自己闲下来。

　　当所有伦敦差会的传教士们被赶出法租界的时候，一位住在英租界的卫理公会的史密斯牧师①，邀请埃里克住在他家。埃里克觉得盛情难却，就接受了他的好意。史密斯牧师的房子就像当年埃里克父母住的那样宽敞，院子里有网球场和板球场。运动员出身的埃里克，自告奋勇来教史密斯的女儿们打网球的基本技巧。他还把卫理公会②的同事组织起来，即兴打一场板球观摩赛。为了不在史密斯牧师家白吃白住，他也尽量帮忙做一些家务事。

　　与此同时，新学书院被迫解散，他们的教堂也关了门。所有西方人不允许进行主日礼拜，甚至也不允许举行超过 10 人以上的聚会。更有甚者，所有外国人必须在臂上佩带袖标，以示国籍。后来，英国租界开始实行食品配给制度，埃里克高兴地主动要求一大早就跑去排

埃里克·利迪尔——Eric Liddell

---

① 史密斯牧师：Reverend Smith
② 卫理公会：Methodist

队，这样在回来的路上，他可以进行每日必须的"清晨默想"散步。因为外国人不许离开英租界的范围，所以埃里克的"散步"只能限制在很小的地方。

埃里克对日本人大多数的规定都可以忍受，但是惟一不能忍受的是不能进行星期日的主日礼拜聚会。由于神的祝福，他想到了一个可以成功实施的办法。

"每个星期日，我们不同的人可以邀请不同的朋友到家里来喝茶。"埃里克向史密斯牧师提议，"如果我们邀请的人不超过 10 个，那猜猜看，和日本人比起来谁更聪明？"

史密斯牧师慢慢地点着头："但是谁来讲道呢？"

"我已经想过这个问题啦，老朋友。当女主人传递茶点时，顺便把讲演的文章递给大家，所以在每家都能听到同样的讲道。我们就这样定下来吧？"经过几次实验之后，星期日茶点聚会的形式就定了下来。因为日本人根本没有怀疑过，星期天他们的社交活动到底在做什么，所以他们就这样继续了下去。

埃里克坚持给家里的人写很长的信，虽然寄出去的信都要被检查，他也不在乎。那时，大部分西方世界都很少得知沦陷在中国的传教士的消息。仅有的消息都刊登在伦敦差会和中国内地会出版的杂志上。比如，中国内地会出版的《万万中国人》①中的一段摘要，具有非常深刻的见解：

> 我们需要提醒我们的朋友，我们现在不能像战前一样帮助他们转交私人的礼物了……

① 《万万中国人》：*China' Millions*

在现在的局势下，英国女人不允许单身前往"沦陷"的中国，所以我们不得已停止招募和训练女传教工作者。

一名在开封①的日本高级将领……近几个星期对我们传教士工作颇为友善。因为我们的一位医生用医院的 X 光机找到射进他胸膛的子弹，并为他实施手术……

日本人在英租界周围架设起通了电的路障，进出的每个路口都布置了岗哨和巡警……

委员长（蒋介石）在重庆向宗教界发表谈话："我们仍旧需要并且欢迎海外的基督教机构来中国服务。请不要觉得你们是客人。你们也是我们的同志，和我们一起为民服务，建造一个新的国家。"

不到一年，所有关于传教士们的消息完全中断了，日本人开始加速实行将滞留在中国的西方人关入集中营的计划。1942 年 8 月，所有在中国境内的"外国敌人"——日本人这样称呼西方人，都收到要他们填写的表格，并勒令他们做出选择：是留下还是离开。大多数传教士都选择留下，直到战争结束。当时，加拿大西部乡村的一所教会愿意聘请埃里克做牧师。埃里克写信给弗罗，说他对这个职位感到很兴奋，但是他不能在这种动乱之中离开中国，他希望等到战争结束以后再上任。

1943 年，日本人还是没有向传教士或是西方人采取任何行动。埃里克估计很快就会出事的，而且希望这些事情快些发生，因为处于这种前途不明朗的困境当中，

---

① 开封：位于河南省。

埃里克·利迪尔 | Eric Liddell

他们实在难以忍受下去。

1943年3月12日中午，日本人贴出了布告，要求所有居住在天津的英国和美国的"外国敌人"到潍县①的集中营②报到。为了避免使用"监狱""犯人"这样的字眼，日本人将设在潍县的集中营美其名曰"民事集合中心"，称那些被关进去的人为"民事拘留者"。

住在天津、北京和青岛的西方人要在三天之内，分三批被陆续遣送到山东潍县的集中营。埃里克还被指派做其中一队的队长。他收到的通知说，所有人可以提前运出四件行李。但是到了26日出发的那天，他又收到通知说他们每人只能携带两只箱子。

他们应该带些睡觉的用具，还有四季的衣服。但是，在兵荒马乱之中，他们把最需要的都忘记了。几乎没人想起来装些盘子，更没人带刀叉勺子之类的东西。

离开一个城市的时候出现了如此具有纪念意义的壮观景象，这是埃里克生命中的第二次。第一次是在他离开爱丁堡前来中国的时候，那种场面充满了真诚的爱和支持。而这一次却显得如此残酷和滑稽。

在埃里克离开天津的那天，日本人命令他们先到英租界里的某个地方集合，由日本兵挨个搜查所有的行李，然后再被押送出租界。他们要自己扛着行李步行走到火车站，就连孩子们也不例外。日本人精心策划了他们行走的路线，强迫中国的老百姓提前站在马路两边，观看西方人离开。这些被迫围观的中国人心里很害怕，不敢流露出任何欢乐、悲伤或其他的表情，只好麻木不

---

① 潍县：位于山东省。请参附录三。

② 潍县集中营：请参附录三。

埃里克·利迪尔 — Eric Liddell

仁地看着这支"队伍"走过，偶尔有几只手无精打采地向他们挥动两下。很多传教士费力地拖着箱子，跌跌撞撞，有时还要停下来休息一会儿。身后的日本兵不停地推搡着他们往前走，直到火车站——他们要乘坐的火车那里。

到半夜的时候，肮脏的火车已经装得满满的，每一个座位上都是人。作为队长的埃里克最后才上了火车。他找到了一个座位，勉强把自己塞了下去。因为箱子太满了放不进去，他只好把好几套衣服穿在身上。这时候，他费力地从几层衣服下面，掏出来那本磨损了的小《圣经》。他必须随身带着这本《圣经》，免得被日本人没收掉。另外，他也估计到那天晚上可能根本无法睡觉，所以他要沉浸在神的话里面，才能把时间打发掉。

他翻到事先做了标记的那一页，和旁边的人一起分享提摩太书①保罗的一段话："你要和我同受苦难，好像基督耶稣的精兵。凡在军中当兵的，不将事物缠身，好叫那招他当兵的人喜悦。人若在战场上比武，非按规矩，就不能得冠冕。"（提摩太后书 2：3－5）

"我们现在真成了基督的精兵啦！"埃里克对车厢里所有的人大声宣布说。在大家的认同当中，他们开始了艰苦的旅行。中途他们在泰安②换上另外一列火车，于第二天傍晚到达潍县。

埃里克·和迪尔 Eric Liddell

---

① 提摩太书：《圣经·新约》里的一卷书。
② Tainan：泰安，山东境内。

第十四章

1943 年~1944 年·中国·潍县

如果把门口挂的牌子翻译成中文，就是"乐道院①"的意思。但是，3 月底被押解到这里的俘虏，没有一个人愿意用这样的词语来称呼这里。他们在黄昏的时候抵达，从远处看到周围被铁丝网围住的、灰色而古板的建筑的时候，每个人的心都变得沉重起来。当然这还不算，更糟糕的还在后面呢。

潍县集中营距离潍县县城两里地。集中营所在地的前身是美国长老会的传教基地，功能就像在肖张的传教基地一样。偷袭珍珠港事件爆发以后，日本人同样也把这里所有的传教士赶走了。

因为这是美国人的传教基地，日本兵进驻以后，在这里进行肆无忌惮的破坏。特别是所谓的偷袭珍珠港的胜利，让他们发狂的情绪更加膨胀。为了发泄，他们把基地里的一切东西全部捣毁砸烂。新来的俘虏们在这里找不到一只完整的碟子，一件可以使用的家具，所有的厨具除了摔碎以后扔在废墟里的那几件都不见了。

这个集中营的面积大约有 150×200 码②。这对关进

---

① 乐道院：请参附录三。
② 150×200 码：2500 平方米。

来的1800名战俘来说（其中一半是孩子们）实在是非常狭小。（6个月以后，另外250名退休传教士，行政同工，还有芝罘学校的传教士子女们，也要被遣送进来）。像肖张一样，这里有医院、学校、小礼拜堂、生活住宅区，还有一个比较大的会议室和内有三个炉灶的厨房。带着孩子的传教士夫妻，可以住在一间房里。但是他们所分到的房间，最大的面积没有超过100平方米。单身的人就要按照男女分开，居住在不同的宿舍里。在他们到达这里的第一天晚上，埃里克帮助他那一队的每个人安排好他们要住的房间。夜里，小孩子的哭声从四面八方传来，整整喧闹了一夜。从此以后的5个月，埃里克和其他两位传教士合住在一个房间里。

芝罘学校学生进入"乐道院"（潍县集中营）

持续的战争耗尽了日本人的后备力量。所以，集中营里没什么规章制度，也没有监管，只有最低限度的食品配给。集中营的主管是一个平民官员，他的下属只有一个从前做过警察的卫兵。他们都不隶属军事部队的编制。显而易见，日本人并不担心在这些大部分由传教士组成的集中营里，会发生什么大逃亡事件。当然，像日

埃里克·利迪尔 Eric Liddell

本这样的敌人会用各种方式来显示他们的可怕：比如，集中营四周是带高压电的铁丝网围墙，强烈的探照灯整夜不停地扫射着营地，大家还必须一天两次集合起来参加点名。

10 岁美国小女孩玛姬（Marjie Harrison）
在集中营里的身份牌和囚号

　　所有的俘虏都要被派去干活，这个制度在埃里克那批人来之前就已经制订下来。从北京和青岛来的两批俘虏先他们而到，已经各就各位干活了。他们大部分人都在厨房帮忙，有的人负责舀出每人分配的饭菜，其他人就刷洗那些脏碗脏碟子。这些人当中大多数都是从事专业工作的，例如在银行界、进出口贸易和大学工作。他们从未干过这些事情，至少在他们的记忆里没有这样的印象。

　　埃里克在营中的第一天忙忙碌碌地过去了，他觉得排队领饭的时候最辛苦，因为排的队很长，连脚都站麻了。所有的俘虏都要站成一排，手里拿着饭碗和勺子，等着领到那加了很多水的肉汤和一块面包。埃里克看到这么长的队伍，心里很着急，就向史密斯大声疾呼："喂，这队都快 70 码长了！不管怎样，我们要想办法改善这个地方。"

　　史密斯了解埃里克是个说到做到的人。"但是人们都想着自己有多饿，要改善环境很难啊！"

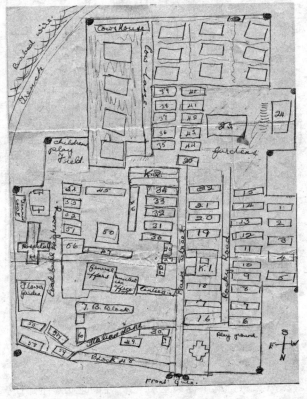

玛姬凭印象手绘的集中营地图

埃里克·利迪尔｜Eric Liddell

　　几个星期以后，在很多俘虏的共同努力下，集中营

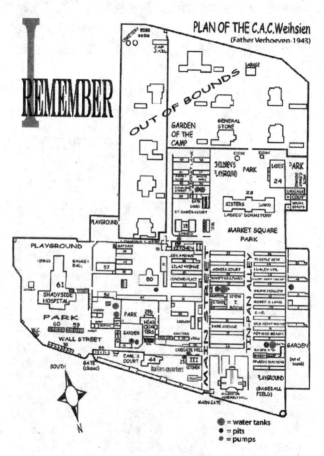

潍县集中营地图

已经焕然一新，成了像文明社区一样的地方。他们成立
了各种委员会，来监管纪律检查、教育、财务、院子和
宿舍的管理情况，还有后勤供应及体育等各方面的执行

情况。他们还设立了一个负责分配调整工作的委员会，确保那些有工作能力的人每天做工不超过三个小时。另外，他们成立了机械维修委员会，负责集中营里的各种修缮工作。俘虏们还自行组织、编排演出各种娱乐节目，其中他们演出的汉德尔①的《弥赛亚》和肖伯纳②的《安德鲁克里斯与雄狮》③受到极其热烈的欢迎。

埃里克担负起了很多工作，对他来说已经超出负荷。当时的中国人可能对"奥林匹克冠军"一无所知，但是当他的身影一出现在集中营里的时候，西方人一眼就认出了他。起初，大家把他当成集中营里数一数二的名人看待，在他身后对他指指点点，窃窃私语。但是没过多久，他就成了所有人的朋友。特别对孩子们来说，"埃里克叔叔"是数学和自然科学课的老师，是各项体育运动的教练，是小礼拜堂的牧师，是两栋宿舍的舍监，还兼任日本人的翻译。

尽管每个人都经常饿得饥肠辘辘，但埃里克还是尽量激发起大家的热情，来参加各种体育活动。他常常很开心地组织起各种球队，安排各种比赛，还用弗罗伦丝留下的旧窗帘、桌布、衣服和衬衣什么的去修理用坏的曲棍球或是棒球棒，好让大家继续玩下去。

他监管着两栋住了200多人的男女宿舍。每天早晚，他要保证所有的人都参加集合点名。每天他还要做很多琐碎的事，比如打水、搬煤、倒垃圾，清扫各个房间。到了晚上，他还要为那些需要帮忙的孩子辅导功

埃里克·利迪尔——Eric Liddell

① 汉德尔：Handel，1685~1759年生于德国的英国作曲家。
② 肖伯纳：George Bernard Shaw
③ 《安德鲁克里斯与雄狮》：Androcles and the Lion

课，特别是自然科学和数学两门课。

埃里克还是所谓"潍县基督徒团契"的主席。他不仅要组织查经班的活动，还要充当基督徒的心理辅导和顾问的角色。他笑容可掬和平易近人的态度，使很多人感到他是困难之中永远的帮助。就像一位营中的人这样说："要是我们当中谁和谁之间产生紧张关系的时候，他那柔和、幽默的话语让大家绷紧的神经开始放松下来，然后他诱导我们想起从前相处之间的一些快乐，再让我们放眼看到'出去'以后的美好生活。"

埃里克在辅导方面发挥出来的能力，在后来的几个月里显得非常可贵和急需。集中营里有很多年轻人，特别是青少年人，因为被限制在这失去自由的环境中，往往觉得焦虑不安。这些年轻人很喜欢找埃里克，因为他生性好动、擅长运动。但是不久以后，他们带给他一些不仅使他感到为难，而且是他从未想过要面对的挑战——原来他们计划在星期天比赛曲棍球。

"你们知道我是不会同意的。"当他们第一次问他的时候，他说，"我从来没有违背这个原则，就是现在我也不会的。"

接着这一群年轻人围着埃里克，又是乞求又是抗议，吵个不停。"埃里克叔叔，你可以不在场呀。"一个男孩儿说，"我们自己搞好了，男孩子一队，女孩子一队，这样，比赛起来挺不错的嘛！"

埃里克劝说了半天，也没办法阻止他们，只好告诉他们他不会在那里给他们当裁判的。结果他估计的事情发生了：曲棍球比赛成了一场闹剧，随便怎么打都行。大家互相发脾气，相互指责，不欢而散。到了下一个星

埃里克·利迪尔 Eric Liddell

期天，当青少年们决定再次举行比赛的时候，他们简直不敢相信他们的眼睛：穿过光秃秃的球场向他们走来的正是埃里克叔叔！

"这个星期天，我们要按规矩比赛了。大家要注意纠正你们的毛病啊。"他非常严厉地说。然后就像云开雾散出太阳一样，他的脸上绽开笑容，流露出他的本相来。他为了这些年轻朋友的益处，违背了自己的誓言。

埃里克成了集中营里主日礼拜最受欢迎的讲员。现在没有日本人的监视，也不用星期日的茶点会来作掩护，更不用限制出席的人数了。音乐也是主日不可缺少的组成部分。早上人们可以听到"救士军乐队"在广场那里演奏圣歌，晚上大家聚在一起齐声高唱圣诗。

埃里克最喜欢的讲道题目有两个，一个是保罗写给哥林多教会的"爱篇"（哥林多前书第十三章），另一个是耶稣的"登山宝训"（马太福音第五章）。当有人问他为什么他总是喜欢讲这两段的时候，他说："这些经文是我信仰的基石……这就是将爱应用到生活中去的方法。"

几年前，在他离开苏格兰去肖张之前，他曾写过一本题为《论"登山宝训"——写给主日学老师》的小册子。在谈到温柔和软弱的区分的时候，他这样写到：

区别在哪里？二者都含有良善和温顺的意思。是否在于二者里面所包含的惧怕的成分？

温柔——包括并无惧怕之心的良善和温顺；

软弱——包括出于惧怕而表现的良善和温顺；

温柔——是在错误面前发出的爱心。

每天清晨六点钟，这个温柔的人从床上爬起来，手

埃里克·利迪尔 Eric Liddell

拿《圣经》、笔记本和笔坐在他那张小桌子前。有时候，他的某一位室友会和他一起读经，因为他们很想知道他怎么能在那么多人里扮演众多的角色。通常读完经，祷告完了以后，他就开始把今天要做的事情写在本子上。无论他身处的光景如何，他都知道最要紧的是要依靠神，他的生命才能得到力量。这样他就能焕发出无尽的爱——无论是在敌人面前，还是在朋友面前。

安妮·布蝉起初并不该在潍县集中营出现。那时她在北京的英国领事馆照顾一位病危的人。由于她表现出的仁慈，日本人决定豁免她。但是，自从潍县集中营发生一起两名俘虏逃亡的事件之后（这是仅有的一次），日本人就寻机报复，于是她也在所难免。自从她和埃里克上次在肖张分手以后，安妮已经很多年没有见到埃里克了。

潍县集中营医院的外观

这时候，在埃里克来到潍县几个月以后，安妮也来了。她看到埃里克大步朝这边走过来，但是并没有注意到她。刚开始安妮不敢肯定是他，和以前相比，他的样子改变了很多：身上穿的衬衣打着五颜六色的补丁，头发几乎掉光了，人也瘦了好几圈，油黑发亮的皮肤表示他经常在户外活动。

但是，她永远认得他的笑容。这时埃里克也认出了她，脸上立刻露出灿烂的、富有感染力的笑容。"你猜，我这衣服哪儿来的？"他和她打着招呼，这样问她。

安妮笑了，也开心地问他："该不是弗罗伦丝给你的吧？"

"当然可以这么说呀，是她给我的。但是她肯定她不喜欢看见我穿在身上啦。"两个人这样互相打趣了一会儿，埃里克才坦白说，"是我用弗罗伦丝在天津挂的窗帘改成的。"只有埃里克才敢穿着这样耀眼的东西，开心地在集中营里大摇大摆地走动，安妮想。"哦，埃里克，真的很高兴再见到你！"她突然抓住他的胳膊，大声喊着。

在接踵而来的几个月里，每当埃里克到医院探访病人的时候，安妮就能见到她的好朋友。她非常惊讶地发现，虽然这里缺乏医疗器械和医药供应，但是医院的医务水准竟然如此之高。原来，这是因为集中营里有很多包括医生护士在内的、医务方面的传教人员。所以在两年的集中营的生活当中，没有任何一个俘虏死于细菌感染。

当然，安妮和集中营里的其他人一样，很想知道战争什么时候才能结束。4 月份以后，他们被允许在里面看英文报纸，但是那些报纸已经过了严格的检查和筛选，上面根本看不到这方面的消息。有时埃里克和安妮开玩笑说，在众多强大的敌人面前，日本人怎么有可能

埃里克·利迪尔 Eric Liddell

167

潍县集中营医院

打赢每一场战斗呢。

这天埃里克去潍县民政局当翻译。回来以后，他特别到医院去了一趟。在中国城市和农村居住了12年以后，埃里克的中文还是很流利了。

"他们把战争的消息完全从报纸上删除了。"他找到安妮以后跟她说，"好像局势已经变了。我敢说盟军已经处于优势。除此之外，日本人在中国的这一场战争肯定是要输的。可能我和弗罗伦丝见面的日子，比想像的要早啊。"

虽然毛泽东和蒋介石的联合阵线已经开始瓦解，但是共产党和国民党的力量在中国的广大农村如此强大，日本人根本难以立足。从1941年开始，共产党就一面打国民党，一面打日本鬼子，而国民党也是在进行着同样多方面的战斗。蒋介石的夫人为了帮助她的丈夫，专程到美国和英国去游说，希望得到英美对他丈夫的军队的支持，帮助中国将日本鬼子赶出去。她在演说中别有用心地夹杂着反对共产党和毛泽东的用意。因为她心里非常清楚这些在听她演说的都是什么样的人，所以在她

埃里克·利迪尔 | Eric Liddell

168

的游说之行中，她也很过分地称赞那些被关在集中营里的英美传教士们。当战争逐渐变得对日本人愈加不利的时候，西方国家开始就集中营俘虏的待遇问题向日本施加压力。可是埃里克注意到，不管怎样试图改善，一切都是暂时的。

有一段时间，集中营的食堂开始出售一些农产品，俘虏们可以花钱买些花生、鸡蛋、糖果和水果，来补充食堂里的那点儿可怜的伙食。俘虏们还可以通过红十字会收到家信，当然只能用特别规定的信纸，而且信里的内容要简洁到 100 个字。不久以后，日本人又重新规定每封信不许超过 25 个字。

埃里克从英国的家中收到了一个坏消息，他的弟弟俄内斯特，皇家炮兵的中尉，在一场战斗中头盖骨受重伤，被送回英国老家养伤。还有，埃里克在字里行间中发现母亲得了重病，当然家里的人尽量不告诉他有关的细节。而他的母亲对埃里克被关在集中营里这件事也毫无所知。想起和母亲分手时她所说的话，埃里克安慰着自己：我们永不言再见。

在大西洋的另一边，从加拿大寄来的信里，充满了3 个小女孩儿在各方面长进的消息，这使他感到精神倍增。埃里克不管去哪里，身上都带着那张全家福的照片。他只给最亲近的朋友看那张照片。他极少把心里的困难和负担告诉别人。他的个性如此，总是觉得别人一样有难处，不如尽力改善现状。

自从芝罘学校的那些孩子们进来以后，他就把思念家人和孩子的情结转移到这些传教士子女的身上。看到这些孩子们在学业和体育上的进步，他不禁由衷地感到

埃里克·和迪尔 Eric Liddell

169

高兴。从这些孩子们身上，他好像看到可爱的帕翠莎，海瑟和只在照片上见过的莫芮。他心里想，将来有一天，他和她们肯定会再见的。他会抱着她们娇小的身体玩耍，也会爱怜地抚摸着弗罗那黑黑的卷发。日本人已经节节败退，胜利的日子不会太远了。

随着1944年的来临，埃里克乐观的估计好像得到证实。战争的局势的确开始对日本人不利。正因为如此，他们需要把大多数的物资送到前线去，就大量削减发给潍县集中营的配给，使俘虏们的健康受到极大的威胁。（日本人对待战俘比平民俘虏更加恶劣，很多战俘因此被活活饿死。）集中营里开始流行热伤寒、疟疾、赤疾，还有因压力过重造成的精神崩溃症也时常发生。

潍县集中营大门手绘图（1）

虽然对很多人来说，埃里克是力量和能量的象征，但在这时候、在被关押在狱中生活了18个月以后，他

埃里克·利迪尔 | Eric Liddell

也开始显示出过度紧张和劳累的症状。当然只有最了解他的朋友才看得出来。这一天，安妮发现埃里克坐在院子里的一张凳子上，身子向前微倾，眼睛盯着膝盖上放的那张宝贵的全家福。

安妮走过去静静地坐在他旁边，眼睛眺望着远方。"你怎么啦，埃里克？弗罗那里有什么消息？"她想大概是哪个女儿出了什么事。

埃里克摇了摇头，然后抬起疲惫的身躯，说："不是，感谢神，她们都好。只是……哦，安妮，我开始对自己产生怀疑了。我最后悔的就是从来就没有花时间好好地陪过弗罗。"他的眼睛已经被泪水充满，而且就这一次，他让眼泪任意流下面颊。

潍县集中营大门手绘图（2）

"可是，埃里克，是你说的，战争很快就会结束了。可能在你还没明白过来之前，你已经和她们在一起了。"安妮的安慰并没有让埃里克深锁的眉头展开。"是不是还有一些事情你没告诉我，埃里克？"

埃里克转过身沉默了一会儿。"我不知道我是怎么回事，也许是对弗罗的那种内疚吧……"说到这里，他喉咙哽塞，说不下去了。接着他清了清嗓子，"也可能是因为我看不到自己的未来，脑子里空空的，好像什么事情都不存在了。"

安妮目送着埃里克走回自己的宿舍楼，他那强壮的身体消瘦了许多，以至于衣服显得宽大起来，忽悠悠地在身上晃荡着。他低着头，步伐沉重缓慢，好像要集中精力才可以踏出每一步。他走路不是那样的，安妮想，他不是那种失掉希望的人。

圣诞节要到了。集中营里预备着各样的庆祝活动。埃里克也参加了其中的筹备工作，但是喜庆的节日也带来不幸。一个小孩儿在院子里玩耍的时候，不小心触到围绕在集中营周围的高压电网上，不幸死亡。埃里克要花很多时间来安慰那个失去孩子的母亲。A. P. 库伦——埃里克的老朋友也被关在集中营里。他送给安妮一张圣诞卡，上面写着：神给了我们记忆，让我们在12月里仍能欣赏盛开的玫瑰花。

对于埃里克来说，记忆好像成为过去。他并没有告诉任何人，他的健康状况越来越差，好像每一天都在受着煎熬。他经常感到头痛，而且是持续不断的疼痛，像是因为工作太辛苦，需要休息。12月底的一天早上，在他静思的时候，他打开《圣经》，读着第一眼看到的经文："向着标杆直跑，要得神在基督耶稣里从上面召我来得的奖赏。"（腓立比书3：14）

埃里克·利迪尔 Eric Liddell

第 十 五 章

1945 年·中国·潍县

埃里克试着用很多办法，想减轻那剧烈的头痛。但是无论如何都没有好转。1月中旬的时候，埃里克已经被疼痛折磨得虚弱不堪，他做了一个很大的决定：到医院看病。在医院里，当他对安妮叙述自己病状的时候，听上去根本不像一个曾经在肖张医院，负责全部事情的医务人员在讲话。

"好像在我的脑袋里发生了很严重的事情。"他这样告诉她。

医生们对他的诊断各执一词，有的说是流感，有的说是鼻窦炎，也有的说是营养不良。但好像埃里克的一切功能正常，他们并没有发现什么危及生命的症状。埃里克只好回到了他的住地。是啊，他患了营养不良症，这是真的，但是大多数被关在潍县集中营的俘虏都是这样啊。到了月底，国际红十字会送来了一些基本的食物，帮助改善他们的伙食。但是增加饮食似乎并没有减轻埃里克的痛苦。

出于护士的直觉和警惕性，安妮一直不放心埃里克。他已经病了一段时间了，远远长过他开始告诉别人的时候。所以她不顾营里的规定，闯进男生宿舍去找埃里克，然后又径直找到医院的负责医生。虽然医院严重

埃 里 克 · 利 迪 尔 Eric Liddell

173

缺乏床位，她还是想办法让埃里克住了进去。

埃里克现在的症状，显示出他的神经功能性出现了严重的问题——他讲话开始断断续续的，一只眼角下垂，行走困难。特别严重的是他的右腿开始失去知觉。医生们怀疑他的脑子里长了肿瘤，而且引起并发症。但是他们只能把他当中风来处理，因为潍县集中营仅有的医疗设备非常简陋，他们只能让埃里克住院观察3个星期，不让他会见任何人，绝对卧床休息。

安妮现在明白了，为什么几个月前他好像突然失去了希望，为什么他觉得脑子里一片空白，原来是脑瘤改变了他的个性，让他产生忧郁的心情。虽然他的信心依然如故，但是那种乐天派的性格消失了。

没多久，埃里克好像又恢复些精神，谁也无法解释其中的原因。在很多星期以后，他第一次参加了教堂的主日礼拜，还找朋友一起喝茶聊天。

2月21日午饭以后，他想出去散步，顺便去集中营的邮局寄封信。他刚刚在那张字数受限制的纸上，给弗罗写了满满的一页。尽管天气阴沉寒气逼人，但是好像外面有什么在呼唤他。他用不太听使唤的手写下了深浅不一的字迹，他写到他的健康状况出现问题，但是尽量轻描淡写地说：

> 负太多责任，精神压力大，吃不消。医院休息1个月已经好转。医生建议换工作。停止教书，多些体力活动，如烘烤食品……变化感觉不错。盼常来信。很享受衣食和包裹。
>
> 　　　　　　　　　　　挚爱你和孩子们的埃里克

去邮局的路上，他碰到一位以前天津同事的太太。她和他打着招呼，聊着弗罗的近况。她觉得他的回答很迟钝，就走到他身边，盯着他看了一会儿，劝他说："埃里克，你得多休息。"

埃里克不想多聊自己的病症，就回答说："不，我需要重新走路的腿。"为什么我再不能跑步，没理由啊。我要当橄榄球和曲棍球的裁判……我要追着四处奔跑的女儿玩耍……教她们跨终点线的时候怎样甩胳膊。哦，海沃德校长，我的脸颊上红扑扑的，那是很久以前的事了。是啊，汤姆·麦克查，我起跑很糟糕，但是，冲刺终点还是很厉害呀。

下午稍晚的时候，他走回医院，但不是为他自己，而是要探望病房里的病人。在那里，他几乎撞上一个人，那是以前合众教堂主日学的学生。合众教堂……是父亲的教堂，也是我爱的教堂……那儿，弗罗站在风琴旁……第一次见到弗罗，我不记得她的名字，她笑我……弗罗走过长长的通道，头戴洁妮的头纱，飘飘冉冉，她抓住我发抖的手。

他刚要讲话的时候，突然一阵猛烈的咳嗽，呛住了气管。他的学生觉得事情不妙，赶快跑到医院的走廊大声呼救。这时候安妮刚刚值完班，正准备回去休息。她听到这边骚动的声音，就急忙赶了过来，一直跑进安置埃里克病床的房间。埃里克一看到她，脸上就出现了笑容，喃喃地呼唤着她的名字。你会记得我们在一起经历的吧……北戴河，肖张，潍县……告诉其他人来中国，带着心里的爱和神的话。记住肖张的奇迹，我们多少次幸免于难，这里的人多么渴望福音啊！

"埃里克，快告诉我，"安妮着急地问，她的声音穿过他浓雾一般的脑海，"你到底哪儿不舒服？"

"他们都搞不清楚，"他喃喃地回答，嘴角泛起一丝

埃里克·利迪尔 Eric Liddell

笑意。我是巴斯勋爵……快跟我一起笑啊，安妮，别这么严肃……用爱心做一切事。

她坐在那里，握着埃里克的手一动不动。几分种后感觉到有人在拍她的肩。原来是值班的医生，告诉她赶快回宿舍休息，因为她刚刚值完了大班。"不，我不离开他。"她简短地回答。

安妮发现埃里克的呼吸变得急促起来，他时而昏迷时而清醒，这是颅内出血的征兆。她得赶快找医生。她跑到隔壁，叫住两个以前给埃里克看过病的医生。"你们知道埃里克快不行了吗？"她大声地说着。

"不可能。"他们异口同声地说。安妮顾不得和他们多说，转过身又跑回埃里克的身边——她来的时间正好。

几分钟以后，埃里克开始全身痉挛，安妮把他的头托起来放在胳膊上。这时，他对她说了最后一句话。"安妮，"他低语着，"完全降服。"泪水淌过她的脸颊，她望着埃里克逐渐陷入昏迷，然后，进入神的怀抱中。这位拥有自成一体的"风车式"跑步风格，让全世界人都知道他是爱上帝的奥林匹克冠军，终于安息在神的怀里了。

第二天，漫天雪花飞舞，犹如一张洁白的被单，遮盖了营地，也遮盖了人们脸上绝望的表情。每个人都对埃里克去世的消息感到震惊，因为几乎没有人知道埃里克得了严重的病。两天以后，1945年2月24日，人们在集中营的会议室为埃里克举行了葬礼。大厅里很快挤满了人。虽然外面寒风萧瑟，但是站在外面的人比里面还多。

伦敦差会资历深厚的传教士，阿诺德·布瑞森[1]牧师致悼词。他首先提到这位年仅43岁的人，在生命的鼎盛时期不幸去世。但是神并不犯错误，他接着说，这次也没有。然后，布瑞森牧师就将话题转到埃里克的人生和品格，他对人产生深远影响的秘诀。

"他的一生都由神掌管，他跟随、听从他的主人，信心永不减退。他让世人看到一个信仰的真实和大能……我们这位朋友那快乐和容光焕发的脸庞……将永远留在所有认识他的人的心中和生命中。"

8位传教士和埃里克生前的朋友抬着埃里克简陋的棺木，向日本人居住区旁边的墓地走去。他们在萧瑟的寒风和飞舞的雪花中行进，后面跟随着由埃里克的学生，芝罘学校的孩子们组成的仪仗队。到了墓地，参加仪式的上百人一起背诵《圣经》里的"福篇"，这是埃里克曾视为己照的经文。"虚

埃里克简陋的坟墓（1945）

心的人有福了！因为天国是他们的。哀恸的人有福了！因为他们必得安慰。温柔的人有福了！因为他们必承受地土……清心的人有福了！因为他们必得见神。"（马太福音5：3 - 5、8）

埃里克·利迪尔 | Eric Liddell

① 阿诺德·布瑞森：Reverend Arnold Bryson

我灵镇静
Be Still, My Soul

72

KATHARINA VON SCHLEGEL
Tr. by JANE L. BORTHWICK

JEAN SIBELIUS

1. Be still, my soul: the Lord is on thy side; Bear pa-tient-ly the
2. Be still, my soul: thy God doth un-der-take To guide the fu-ture
3. Be still, my soul: the hour is has-tening on When we shall be for-

1. 我灵，镇静：上主今在你旁；忧痛十架，你
2. 我灵，镇静：一切主必担当，未来引导，仍
3. 我灵，镇静：光阴如飞过去，那日与主，永

cross of grief or pain; Leave to thy God to or-der and pro-vide;
as He has the past. Thy hope, thy con-fi-dence let noth-ing shake;
ev-er with the Lord, When dis-ap-point-ment, grief, and fear are gone,

要忍耐担当；信靠天父，为你安排主张；
似过去一样。莫让何事，动摇希望信仰；
远同在一处。失望惊慌，那日都要消除。

In ev-ery change He faith-ful will re-main. Be still, my soul: thy
All now mys-te-rious shall be bright at last. Be still, my soul: the
Sor-row for-got, love's pur-est joys re-stored. Be still, my soul: when

万变之中，惟主信实永长。我灵镇静：天
目前奥秘，日后必成光明。我灵镇静：风
重享真爱，忘记一切愁烦。我灵镇静：那

best, thy heaven-ly Friend Thro' thorny ways leads to a joy-ful end.
waves and winds still know His voice who ruled them while He dwelt below.
change and tears are past, All safe and bless-ed we shall meet at last. A-MEN.

友最是善良，经过荆棘，引到欢乐地方。
浪依旧听从，救主命令，年年永附命声。
日眼泪抹干，将来欢取，大家永享平安。 阿门

埃里克最喜爱的诗歌——临终前
他将第一句词写在纸片上

埃里克·利迪尔 | Eric Liddell

178

10天以后，潍县集中营里悲伤不已的人们，又举行了一次悼念仪式。这次仪式由 A.P. 库伦主持。他发现了一片有埃里克字迹的小纸头，像是他临终的那天下午写的。因为从歪斜的笔迹上看，显而易见是那天埃里克在医院的时候草书而成。他写下了一首他最喜欢的诗歌中的第一句："我灵镇静①。"

聚集在一起的人们坐在椅子上，开始轻轻唱起这首配着 "芬兰缔亚②" 曲子的、埃里克最喜爱的诗歌。接着，A.P. 库伦回忆起和这位几十年的朋友、前橄榄球队队友之间的友谊。然后安妮叙述起他们在肖张一起度过的岁月，木制的讲台几乎完全遮住了她那娇小的身躯。

埃里克去世两个月以后，多伦多弗罗伦丝的家里来了几位客人。因着战争和集中营与外界隔离的关系，她还没有收到埃里克去世的消息。没错，埃里克是在信里讲过他的身体不太好，但她做梦也没想到他的病竟然要了他的命。从这些客人的口中，她得知这个噩耗。实际上，从她知道这个消息以后，她还陆续收到三四封从埃里克那里辗转而来的信。

埃里克的死讯陆续传到世界各地，人们在各处为他举行悼念仪式。从多伦多弗罗伦丝的教会开始，然后是在苏格兰的两个地方：一个是爱丁堡摩宁思公理会教堂——埃里克曾参加过那里的活动。1000 多人参加了悼念仪式，包括罗比、洁妮和俄内斯特，还有埃里克的老校长乔治·罗伯森、D.P. 汤姆森。另一场是在格拉斯哥

---

① 我灵镇静：Be Still My Soul
② 芬兰缔亚：Finlandia

埃里克·利迪尔
Eric Liddell

丹达斯街公理会教堂，埃里克的父亲，詹姆斯·利迪尔曾在这里被封为牧师。悲哀的苏格兰人聚集在一起向埃里克致哀。为了弗罗伦丝和孩子们将来的生活，D. P. 汤姆森发起了一个全国性的机构，组织募捐活动，来资助她们，并且专门用来纪念埃里克的生平事迹。

埃里克去世以后，集中营里好几个月都笼罩在沉闷的气氛里。因为他们失去了那位脸上永远挂着微笑的勇士、那位永不疲倦的开路先锋、那位精神上的良师益友——他们的朋友。这时候，他们只能翘首以待战争赶快结束。他们并不知道，美国在 8 月向日本的广岛和长崎投掷了原子弹，标志着战争即将结束。8 月中旬的时候，安妮正在医院忙着，耳边传来飞机低空飞行的轰隆声，她惊呆了。突然，一大包空投食品水果罐头破窗而入。

美军"小鸭"部队向集中营投掷食品（1）

没过多久，一队美国伞兵列队开进集中营，通知日本人说他们已经正式接管了这里。在他们的监视下，日本人静悄悄地从潍县撤走了。集中营里传教士们和平民们被送往青岛，然后又到了香港。从那里，他们乘船回到英国。圣诞节的时候，安妮回到了苏格兰的家中。

美国“小鸭”部队向集中营投掷食品（2）

虽然埃里克再也不能在她需要的时候，给她鼓励，她却牢记着一段埃里克最喜爱的、也是他父亲最喜爱的、在天津和肖张都大大激励过他的著名经文：“岂不

知在场上赛跑的都跑，但得奖赏的只有一人？你们也当这样跑，好叫你们得着奖赏。"（哥林多前书9：24）

被解救出狱的埃里克的部分学生（1945）

两年之后，安妮·布蝉又回到了中国。

（完）

附 录 一

英国简况

英国，官方全称大不列颠及北爱尔兰联合王国（英语：United Kingdom of Great Britain and Northern Ireland；威尔士语：Teyrnas Unedig Prydain Fawra Gogledd Iwerddon；苏格兰盖尔语：An Rìoghachd Aonaichte na Breatainn Mhòr agus Eirinn mu Thuath；爱尔兰语：Ríocht Aontaithe na Breataine Móire agus Thuaisceart · ireann；低地苏格兰语：Unitit Kingdom o Great Britain an Norlin Airlann）。简称联合王国（The United Kingdom）或英国（Britain）。是由大不列颠岛上的英格兰、苏格兰和威尔士，以及爱尔兰岛东北部的北爱尔兰共同组成的一个欧洲岛国。

现在的英国是过去 1000 年中几次合并的结果。10 世纪以后，苏格兰和英格兰各自是独立的国家。1284 年威尔士被英格兰控制，1535 年成为英格兰王国的一部分。1603 年，英格兰和苏格兰两国共有一位君主，1707 年正式合并为大不列颠王国。1800 年，大不列颠王国和爱尔兰（1169 年 ~ 1691 年逐步被英格兰控制）合并，组成大不列颠与爱尔兰联合王国。1922 年，爱尔兰共和国独立，爱尔兰北部仍留在联合王国内。

埃里克·利迪尔 | Eric Liddell

183

奥运金牌传奇人物埃里克·利迪尔

从"苏格兰飞人"到"潍县集中营囚犯"

大不列颠岛（Great Britain）是一个位于欧洲西部大
西洋上的岛屿，分为英格兰、苏格兰、威尔士三部分。
是大不列颠群岛中的第一大岛屿。大不列颠岛目前全境
都为英国领土。

英格兰（England）是大不列颠及北爱尔兰联合王
国（英国）下属的王国之一。英格兰位于大不列颠岛的
东南方，苏格兰以南，威尔士以东，是英国面积最大，
人口最多，经济最发达的一个部分。在历史上，英格兰
与苏格兰之间是以哈德良长城为界。英格兰这个名字源
自"盎格鲁人（Angles）"，其原名"Engla－lond"意为
"盎格鲁人之地"，他们是继凯尔特人之后来到这个地方
的日耳曼民族。

苏格兰（英文：Scotland，盖尔语：Alba）是大不
列颠与北爱尔兰联合王国（英国）下属的王国之一，位
于大不列颠岛北部，英格兰之北，以格子花纹、风笛音
乐、畜牧业与威士忌工业而闻名。虽然在外交、军事、
金融、宏观经济政策等事务上，苏格兰是受到位于伦敦
西敏市的英国国会管辖，但是在内部的立法、行政管理
上，拥有一定程度的自治空间，是联合王国内规模仅次
于英格兰的地区。

威尔士（英语：Wales，威尔士语：Cymru，又译为
威尔斯）是联合王国的一个王国，位于大不列颠岛西南
部，东界英格兰，西临圣乔治海峡，南面布里斯托尔海
峡，北靠爱尔兰海。威尔士的全称为威尔士亲王国（英

埃里克·利迪尔 | Eric Liddell

语：Principality of Wales，威尔士语：ywysogaeth Cymru），但目前的威尔士亲王（Prince of Wales，也就是英国的查尔斯王子）只是挂名的君主而已，并不具有实际的政治权力。

英格兰国旗　　苏格兰国旗　　威尔士国旗　　英联邦旗

（摘自维基百科 Wikipedia）

埃里克·利迪尔 Eric Liddell

附 录 二

天津市和平区教育史

清光绪十三年（1887），法国传教士刘克明及荷兰传教士武致忠为天津的外侨子弟开设圣鲁易中学，是境内最早的教会学校，校址在法租界圣鲁易路（今营口道滨江医院住院部）。

清光绪十七年（1891），美国基督教美以美会创办"成美学馆"，校址在海大道（今大沽路）。光绪二十七年（1901）更名为圣约翰学校。宣统三年（1911），学校迁至今南门外大街，更名成美中学。1919 年更名汇文中学。1941 年太平洋战争爆发，汇文中学停办。1947 年复校。

清光绪二十八年（1902），伦敦基督教会在海大道（今大沽路）养正书院旧址创立新学书院，1930 年改为私立新学中学。1941 年，新学中学停办。1947 年复校。

清宣统元年（1909），美以美会创办天津中西女子中学，校址初设法租界海大道。1915 年迁至今南门外大街新校舍。1942 年合并到究真中学，称为天津市女二中。

1914 年，李鲁宜、杨芰仁等创办圣功学校。1914 年，圣若瑟女校建立。1916 年，法国天主教在法租界老西开建立老西开中学，1946年更名为私立西开初级中学。1920年，广东会馆董事陈祝龄和广东音乐会会长麦次尹捐款捐地成立旅津广东学校。1921年，在南门外由日本东亚同盟会捐资创立中日中学校（原名天津同文书院）。1922年，俄国露西亚学校创办，1948年3月，向天津教育局申请立案，改为苏联中学，校址十区杜鲁门路（今建设路）。1923年，著名教育家严范孙和张伯苓应女学生请求，成立南开女子中学，1937年，学校被日寇炸为平地，部分转入重庆，1946年重新招收学生，复校为南开女中，1948年迁入新址（今甘肃路42号）。1927年6月，为解决租界内中国人子弟入学，设立私立天津公学，1935年迁入墙子河畔二十九号路（今南京路），更名为耀华学校。同年，高峥嵘在法租界二十号路（今哈尔滨道）创办天津中山中学校，对外称英文补习学校。1937年相继建立天申中学、达文中学、进修中学，其中天申中学先后更名为中正中学、津华女子中学。1938年，原浙江学校增设中学班，扩建为私立浙江中学。

　　1941年，汇文中学和新学中学停办期间，在两校校址分别建立了天津特别市第二中学（1945年后改为第一中学）和天津特别市第三中学。1947年，由于汇文中学和新学中学复校，一中和三中两校合并，定名为天津市立中学，校址在旧英国营盘（十区西安道），是区内惟一的一所市立中学。同年，建立建华、力行和培英三所私立中学。

　　1949年1月，天津解放后，市人民政府首批接管天津市立中学，更名为天津第一中学。1951年1月接管圣

埃里克·利迪尔 | Eric Liddell

若瑟学校西楼，设初中，校名为天津第四女子中学。1954年接管东楼，设高中，成为完整中学。1952年接办私立中学7所，教会办中学4所。1952年~1966年新建、改建中学15所。

1966~1976年"文化大革命"时期，学校处于无政府状态。在教育结构上停办高中，取消中专和职业技术学校。1968年，各校陆续"复课闹革命"。1969年，在部分小学附设初中班。1973~1976年陆续将区内8所小学改为中学。1976年区内大部分中学增设高中班，学制为两年。

1979年~1984年8所普通中学改为职校。

（摘自《天津和平政务网－和平区志》）

埃里克·利迪尔

Eric Liddell

附 录 三

山东潍县乐道院

乐道院是 19 世纪末和 20 世纪初美北长老会教会在中国建立的规模最大的一个传教基地，集教堂、医院、学校为一体，位于山东省潍县县城东南 5 里。今天这里是潍坊市第二中学和潍坊市人民医院。1942 年 3 月到1945 年 8 月，这里曾是日军关押大批英美侨民的著名的潍县集中营。乐道院里一些欧洲风格的建筑依旧保存完好。

1883 年，美北长老会传教士狄乐播（登州文会馆创办者狄考文的四弟）和丁珍珠夫妇来到潍县，在东关虞河东岸兴建教会建筑群乐道院，包括教堂、学堂、诊所3 部分。到 1900 年 6 月 25 日被义和拳焚毁前，已经有楼房 42 间，平房 136 间。1902 年，长老会用庚子赔款 14万两（白银）重建乐道院。占地面积 200 亩。西半部是文华中学、文美女中（一度办过广文大学，即齐鲁大学的前身）和大教堂，东半部是医院。其中有广文大学，医院还附设了医护学校（今潍坊卫生学校）。院内，两三层的样式各异的青砖红瓦西式小洋楼错落有致，掩映在一片绿荫中。潍坊附近也是长老会在华传教最成功的地区，后来成立了 3 个教区：潍安区会、乐寿区会和昌潍区会。

太平洋战争爆发后，美国政府将侨居旧金山等地的日本侨民集中到洛杉矶附近的指定地区，限制其自由。为了对美国的行为实施报复，将中国沦陷区内的美国、英国、加拿大、澳大利亚、新西兰等敌国未来得及撤退的旅华侨民关押隔离。1942年3月，日本宪兵占领乐道院，将其改建为关押华北各地2008名西方侨民的集中营。后来因为交换战俘释放了500人。其中包括不少知名人士：华北神学院院长赫士博士，1924年奥运会400米冠军英国人、天津新学中学教师李爱锐（埃里克·利迪尔，即本书传主，1945年2月21日死于集中营），曾任蒋介石顾问的美国人雷振远，齐鲁大学教务长德位思，后来担任美国驻华大使的辅仁大学附中教师恒安石（1921年~2001年2月6日，1944年6月9日夜成功越狱）。

被关押人员中包括327名儿童，大部分是烟台芝罘学校（内地会传教士子弟学校）的学生。经过争取，孩子们得到在集中营上学的权利。在营中，芝罘学校的学生们一共毕业了三届。

1945年8月17日上午9时30分，美军"鸭子行动队"从昆明驾驶B-24轰炸机飞抵集中营，解放了1500名难友。

2006年，成立了潍县集中营陈列馆。

（摘自维基百科 wikipedia）

埃里克·利迪尔——Eric Liddell